LE
YOGA

D1401070

LE
YOGA

Guide complet et progressif

Préface par
Swami Vishnu Devananda

ROBERT LAFFONT
CENTRE SIVANANDA

Titre original :
THE BOOK OF YOGA
The Complete Step-by-Step Guide

Écrit par Lucy Lidell
avec Narayani et Giris Rabinovitch.
Photographies de Fausto Dorelli

d'après une idée de
Lucy Lidell

Direction	Joss Pearson
	Patrick Nugent
Éditorial	Roslin Mair
Conception	Tony Spalding
	Chris Meehan
	David Whelan
	Sheilagh Noble
Traduction	Anne Bauer
	Claire de Chabot
	Nicole Marquette
	Uma
	Sivadas

© Gaia Books Ltd, 1984. ISBN 085223-297-7
Texte : © Sivananda Yoga Vedanta Centre, 1984
Édition française : © Éditions Robert Laffont S.A., 1984
ISBN 2.221.04552.1
Numéro d'éditeur : 6260. Dépôt légal : avril 1988.
Imprimé et broché en Espagne par Artes Graficas Toledo, S.A.
D.L.TO.: 524–1988

A Swami Vishnu Devananda

Comment utiliser ce livre ?

Ce livre vous donne toutes les informations dont vous avez besoin pour commencer à pratiquer le yoga chez vous. L'essentiel de votre pratique est exposé dans la « Séance de Base ». A la page 66-67 un tableau montre aux débutants comment procéder ; dans le « Cycle de la Vie », vous trouverez des exercices adaptés aux âges ou aux conditions physiques particulières, notamment la grossesse et le troisième âge.

Reportez-vous toujours à la Séance de Base et ajoutez la relaxation et la respiration (exposées séparément pour plus de clarté). Lorsque vous connaîtrez bien la Séance de Base et les pratiques simples de respiration et de méditation, vous pourrez commencer à pratiquer les postures décrites dans « Asanas et Variations » et des exercices plus avancés de respiration et de méditation. De cette façon, vous trouverez un rythme personnel, qui s'adaptera à votre mode de vie. Prenez également des cours de yoga, cela stimulera votre pratique personnelle.

REMARQUE : Suivez point par point les indications données en trouvant votre propre rythme et procédez avec méthode pour l'ordre des asanas, les moments de relaxation et la durée de la pratique. Pratiquez toujours avec prudence et ne forcez jamais dans une posture. Prenez votre temps, n'allez pas au-delà de vos possibilités ; tous les corps sont différents, vous trouverez naturellement votre propre niveau.

Avant-propos

Aujourd'hui plus que jamais dans l'histoire de l'humanité, les Occidentaux sont confrontés à des tensions qu'ils ne peuvent contrôler. Nombreux sont ceux qui prennent des tranquillisants, des somnifères, de l'alcool, essayant vainement d'y remédier. En 1957, je suis parti en Amérique, envoyé par mon maître Swami Sivananda. Mon maître m'a dit : « Va, les hommes attendent ; beaucoup d'âmes de l'Orient se réincarnent aujourd'hui en Occident. Va réveiller la conscience cachée en eux et ramène-les sur le chemin du Yoga. »

Le yoga, la plus vieille science de la vie, peut vous apprendre à maîtriser les tensions non seulement au niveau physique, mais aussi sur le plan mental et spirituel. Le corps humain peut être comparé à une voiture ; le fonctionnement correct d'une automobile (que ce soit une Rolls Royce ou une vieille voiture) dépend de cinq éléments : le graissage, le système de refroidissement, la batterie, le carburant et un conducteur habile au volant. Dans le yoga, les asanas ou postures lubrifient le corps : ils permettent aux muscles et articulations de fonctionner sans heurts, stimulent les organes internes et améliorent la circulation sans créer de fatigue ; la relaxation complète repose le corps ; le pranayama ou respiration yogique accroît le prana, recharge la batterie ; le carburant correspond à la nourriture, l'eau et l'air que nous respirons ; enfin, la méditation calme le mental, le conducteur du corps. En méditant, vous apprenez à contrôler et finalement transcender le corps, votre véhicule physique.

Tout le monde peut pratiquer le yoga, quels que soient son âge, son état, sa religion ; jeune ou vieux, malade ou bien portant, chacun peut recueillir les bienfaits de cette discipline. Après tout, chacun d'entre nous doit respirer quel que soit son mode de vie. Et nous souffrons tous d'arthrite si nous mangeons mal. Vous pouvez apprendre à méditer sur une fleur, sur l'étoile de David, sur la croix, comme sur Rama ou Krishna. L'objet de concentration peut être différent mais la technique reste la même. Les premiers yogis ont cherché la réponse à deux questions fondamentales : « Comment puis-je me libérer de la douleur ? » et « Comment puis-je conquérir la mort ? » Ils ont découvert que par les asanas, on peut maîtriser les problèmes physiques, par le pranayama les difficultés émotionnelles et, par la méditation, on peut véritablement découvrir sa nature profonde. En ne nous identifiant plus avec le nom et la forme, nous pouvons transcender le corps et trouver le Soi qui est immortel. Ainsi le yoga commence avec le corps, mais son but ultime est de le transcender.

Pour conclure, j'aimerais vous dire que le yoga n'est pas une théorie mais un mode de vie pratique. Si vous n'avez jamais mangé de miel, même si je vous répète que le miel est bon, vous ne le comprendrez pas jusqu'à ce que vous le goûtiez. Mettez le yoga en pratique et vous ressentirez vous-même ses bienfaits dans votre vie. Ce livre vous aidera à débuter, vous accompagnera et vous inspirera dans votre voie.

Swami Vishnudevananda

Table des matières

Introduction au Yoga

Tout le monde peut pratiquer le yoga. Vous n'avez pas besoin d'équipement ou de vêtements particuliers, mais seulement d'un petit espace et du profond désir de mener une vie plus saine et plus complète. Les postures de yoga ou asanas font travailler chaque partie du corps, en étirant et tonifiant les muscles, les articulations, la colonne vertébrale et tout le squelette. Elles agissent non seulement sur la structure du corps, mais aussi sur tous les organes internes, les glandes, les nerfs et permettent à l'organisme de conserver une santé rayonnante. En relâchant les tensions physiques et mentales, les asanas libèrent également d'immenses ressources d'énergie. Les exercices de respiration yoguique, appelés pranayama, revitalisent le corps, aident à contrôler le mental, et vous laissent calme et plein d'énergie. Par ailleurs, la pensée positive et la méditation augmentent la clarté, la puissance et la concentration mentales.

Le yoga est une science complète de la vie, qui trouve son origine en Inde il y a des milliers d'années. C'est le système le plus vieux au monde de développement humain, qui englobe le corps, le mental et l'esprit. Les anciens yogis avaient une profonde compréhension de la nature essentielle de l'homme et de ses besoins de vivre en harmonie avec lui-même et son environnement. Ils percevaient le corps physique comme un véhicule, conduit par le mental, l'âme étant l'identité véritable de l'homme, et l'action, l'émotion et l'intelligence, les trois forces agissant sur ce corps-véhicule. Pour un développement harmonieux, ces trois forces doivent s'équilibrer. Considérant la relation étroite entre le corps et le mental, les yogis ont mis au point une méthode unique pour maintenir cet équilibre : méthode qui combine tous les mouvements nécessaires à la santé physique, et les techniques de respiration et de méditation qui mènent à la paix intérieure.

Le yoga dans votre vie

Beaucoup sont d'abord attirés par le yoga pour rester souples, en bonne santé, être beaux et bien dans leur peau. D'autres viennent y chercher une aide ou un soulagement à un problème particulier, comme la tension nerveuse ou le mal de dos. Certains y sont simplement amenés car ils ont l'impression de ne pas tirer le maximum de leur vie. Quelle que soit votre motivation, le yoga peut être pour vous un outil, un instrument qui vous apportera ce que vous en attendiez, et bien davantage. Pour comprendre ce qu'est le yoga, il est nécessaire d'en faire l'expérience soi-même. Au premier abord, cela ne semble guère qu'une série de curieuses postures qui assouplissent et amincissent le corps. Mais avec le temps, quiconque pratique avec constance devient conscient de changements subtils dans son approche de la vie. Car, en tonifiant et relaxant le corps régulièrement, et en apaisant le mental, vous commencerez à ressentir la paix intérieure qui est votre nature véritable. Telle est l'essence du yoga : cette réalisation de soi à laquelle nous aspirons tous consciemment ou inconsciemment, et vers laquelle nous évoluons tous progressivement. Si vous

parvenez à contrôler totalement votre mental et vos pensées, il n'y aura plus de limite en vous ; car ce sont les illusions et les préjugés qui nous bloquent et nous empêchent de nous réaliser nous-mêmes.

L'aspect physiologique du yoga

Tout comme nous nous attendons à voir notre voiture s'user avec l'âge, nous nous résignons à la perte de l'efficacité de notre corps au fur et à mesure que les années passent. Nous nous demandons toujours si l'on ne peut y échapper, et pourquoi les animaux, contrairement à nous, semblent capables de continuer à fonctionner normalement tout au long de leur existence. En fait, le processus de vieillissement humain est en grande partie artificiel, et il est surtout le résultat d'auto-intoxication. En veillant à garder le corps sain et souple, nous pouvons réduire considérablement le processus catabolique de détérioration des cellules.

La recherche médicale s'est intéressée ces dernières années aux effets du yoga. Des études ont montré, par exemple, que la relaxation dans la Posture du Cadavre soulage grandement la tension artérielle, et que la pratique régulière des asanas et du pranayama peut être bénéfique dans des cas de maladies aussi variées que l'arthrite, l'artériosclérose, la fatigue chronique, l'asthme, les varices et les maladies cardiaques. Des tests de laboratoire ont également confirmé la capacité des yogis à contrôler consciemment certaines fonctions autonomes ou involontaires telles que la température, les battements du cœur et la tension artérielle. Une étude réalisée pendant six mois sur le Hatha Yoga a

Empreintes d'énergie
L'effet énergétique des postures ou asanas est clairement mis en évidence par les photos Kirlian (ci-dessous). L'empreinte gauche a été prise avant une séance d'asanas de 15 mn. La même main photographiée après le cours montre une aura plus nette et complète. Il faut noter également qu'après une séance de gymnastique de 15 mn chez la même personne, on n'observe pas de changement d'aura.

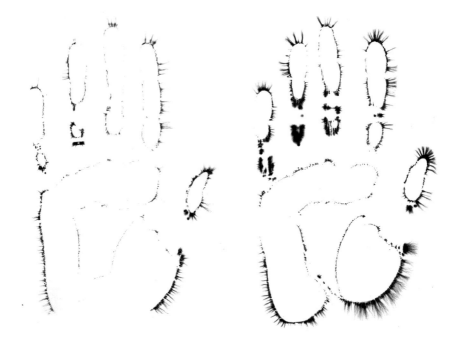

démontré les effets suivants : la capacité respiratoire s'amplifie, le poids et le tour de taille diminuent, la résistance nerveuse s'améliore, le taux de cholestérol et de sucre dans le sang diminuent. Ces effets combinés stabilisent et rétablissent le fonctionnement naturel de l'organisme. Aujourd'hui, il n'y a plus de doute possible quant à l'efficacité du yoga en tant que médecine curative et préventive.

L'histoire du yoga

Les origines du yoga se perdent dans la nuit des temps : le yoga est considéré comme une science divine de la vie, révélée aux sages illuminés, dans leur méditation. La trace archéologique la plus ancienne du yoga est fournie par de nombreux sceaux en pierre montrant des silhouettes en posture yogique, datant de 3000 ans avant J.-C., qui ont été retrouvées lors de fouilles dans la vallée de l'Indus. Les premiers textes qui font référence au yoga sont les anciennes écritures sacrées : les Védas (environ 2500 ans avant J.-C.), mais ce sont les Upanishads (la dernière partie des Védas), qu fournissent la base de l'enseignement du yoga et de la philosophie Vedanta. Le fondement du Vedanta est l'idée d'une réalité ou conscience unique et absolue, nommée Brahman, qui est à la base de tout l'univers.

Vers le VIᵉ siècle avant J.-C., deux grands poèmes épiques sont apparus : le Ramanaya, écrit par Valmiki, et le Mahabharata, dont l'auteur est Vyama et qui contient la Bhagavad Gita, l'écriture yogique sans doute la mieux connue. Dans la Gita, Dieu ou Brahman, incarné dans la forme du Seigneur Krishna, enseigne la voie du yoga au guerrier Arjuna, et surtout comment atteindre la libération, en accomplissant ses

Krishna

Yogi en méditation
L'ancienneté du yoga est prouvée par de nombreuses peintures et sculptures. Cette petite statue médiévale en pierre représente un yogi dans la Posture du Lotus.

devoirs dans la vie. L'axe principal du Raja Yoga se trouve dans les Yoga Sutras (p. 19) de Patanjali, dont l'écriture remonte probablement au IIIe siècle avant J.-C. Le texte classique sur le Hatha Yoga est le Hatha Yoga Pradipika, qui décrit les asanas et les exercices de respiration, base de la pratique moderne du yoga.

> « L'arc est le OM sacré, la flèche notre âme. Brahman est la cible de la flèche, le but de l'âme. Comme la flèche s'unit à la cible, l'âme attentive s'unit à Brahman. »
> *Mundaka Upanishad*

La signification du yoga

Le but fondamental de toutes les pratiques du yoga est de réunir l'âme individuelle (jiva) avec l'Absolu ou pure conscience (Brahman) ; en fait le mot yoga signifie littéralement « joindre ». L'union avec cette réalité immuable libère l'esprit de toute impression de séparation, de l'illusion du temps, de l'espace et de la causalité. Seule notre propre ignorance, notre incapacité à faire la discrimination entre le réel et l'irréel nous empêche de réaliser notre vraie nature.

Même dans cet état d'ignorance, l'esprit humain perçoit qu'il lui manque quelque chose dans la vie, quelque chose que ne peut

Traditionnellement, le Dieu Siva est considéré comme le fondateur du yoga.

Les dirigeants politiques de l'Inde ont toujours recherché la sagesse spirituelle des yogis.

satisfaire ni la réalisation d'un but, ni l'accomplissement d'un désir. Dans notre vie personnelle, la recherche incessante de l'amour, du succès, du changement, du bonheur, est le témoin de cette conscience sous-jacente d'une réalité que nous sentons mais ne pouvons atteindre.

Dans l'enseignement du yoga, la réalité est par définition immuable et immobile : le monde, l'univers manifesté, en état de mouvement perpétuel, est donc illusion ou Maya. Cela est symbolisé par l'image de Siva, le Seigneur de la Danse, représenté avec son pied en l'air ; quand il le posera au sol, l'univers tel que nous le connaissons cessera d'exister. L'Univers manifesté est seulement une superposition du réel, projeté sur l'écran de la réalité, comme un film est projeté sur un écran de cinéma. De même que marchant dans l'obscurité nous pouvons faire l'erreur de prendre un bout de corde pour un serpent, sans illumination nous prenons l'irréel pour le réel : nous superposons ou projetons nos propres illusions sur le monde réel.

La nature illusoire de la réalité temporelle se retrouve dans la recherche scientifique moderne sur la particule ultime et indivisible de la matière. Cette recherche a permis de se rendre compte que la matière et l'énergie sont interchangeables, que le semblant de solidité que nous percevons dans la matière est créé par des mouvements ou vibrations. Par exemple, nous percevons un ventilateur en marche comme un cercle entier. La plupart des éléments solides que nous voyons sont en fait des espaces vides. Si nous pouvions enlever de notre corps tous les espaces des atomes, ne retenant que le « non-espace », nous ne pourrions même pas voir ce qui reste.

La création de Maya

Dans la philosophie du yoga, il n'y avait à l'origine que le Soi : énergie indifférenciée, infinie, immuable et sans forme. Le processus de différenciation qui a conduit à l'univers manifesté, le monde physique que nous connaissons, est décrit de différentes manières. Au début, il y avait l'Esprit ou Purusha ; puis vint une grande lumière (théorie du « Big Bang ») qui entraîna l'évolution de l'univers objectif, le monde manifesté que nous percevons, appelé Prakriti. Une fois que Prakriti s'anima, les trois qualités appelées Gunas (p. 80) se différencièrent, tandis que dans Purusha elles étaient en équilibre. Le même processus est parfois décrit comme la différenciation de « Je » et « Cela », du sujet et de l'objet, tout comme dans la mythologie, par Shakti sortant de Siva : dans l'éveil de la Kundalini (p. 70), quand l'état de supra-conscience est atteint, les deux principes se réunissent et l'illusion n'existe plus.

Karma et réincarnation

Pour un yogi, le corps et le mental font partie du monde illusoire de la matière, qui a une vie limitée, mais l'âme (ou l'Absolu) est immortelle et elle s'incarne dans un autre corps quand le premier se désintègre. Comme il est dit dans la Bhagavad Gita : « De même qu'un homme abandonne ses vêtements usés pour en revêtir d'autres, le Soi incarné abandonne les corps usés pour en adopter

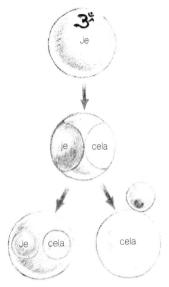

Les trois phases de l'évolution
Dans le schéma ci-dessus « Je » représente l'unité et « Cela » la matière. Avant l'évolution, tout est un, le prana est à l'état potentiel. Dans la phase intermédiaire, le prana devient actif, créant la matière qui appartient encore à l'unité. Dans la dernière phase (l'univers manifesté), il y a deux étapes : d'abord, la matière est perçue comme séparée de l'unité (gauche), puis le mental et la matière sont tous deux séparés de l'unité (droite).

Le yogi et le paon
Cette gravure du 18ᵉ siècle illustre un yogi qui accomplit une pratique dévotionnelle en nourrissant un paon. Dans la mythologie hindoue, le paon représente Krishna.

de nouveaux. » Par le cycle de la réincarnation, nous tendons vers la ré-union avec le Soi, à mesure que les voiles de l'ignorance s'affinent. Le fondement de la pensée yogique est la loi du Karma, la loi de cause à effet, de l'action et de la réaction. Toute action et toute pensée portent un fruit, que ce soit dans cette vie-ci ou dans des vies à venir. Nous récoltons ce que nous semons, façonnant notre futur par les actions et les pensées du présent.

Les voies du yoga

Le yoga a quatre voies principales : le Karma yoga, le Bhakti yoga, le Jnana yoga et le Raja yoga : chacune convient aux divers tempéraments ou aux différentes approches de la vie. Elles ont toutes le même but final : l'union avec Brahman ou Dieu ; et il faut intégrer les expériences des voies différentes pour atteindre la

La roue de la vie et de la mort
La roue symbolise le cycle de l'existence : cycle perpétuel de la naissance, de la mort et de la renaissance, dont l'homme se libère quand il atteint la Réalisation du Soi.

véritable sagesse. Le Karma yoga ou yoga de l'action est le chemin que choisissent ceux qui sont de nature extravertie. Il purifie le cœur en vous apprenant à agir de façon désintéressée, sans chercher de récompense. En vous détachant des fruits de vos actions et en les offrant à Dieu, vous apprenez à sublimer l'égo. Pour y arriver, répéter un mantra (p. 99) peut aider votre mental à se concentrer alors que vous êtes engagé dans une activité. Le Bhakti yoga est le chemin de la dévotion qui convient particulièrement à ceux qui sont de nature émotionnelle. Le Bhakti yogi est attiré essentiellement par la force de l'amour et voit Dieu comme la personnification de l'amour. A travers la prière, l'adoration et le rituel, il s'abandonne à Dieu. Ses émotions sont canalisées et transmuées en un amour inconditionnel ou dévotion. Réciter et chanter les louanges de Dieu constituent une part importante du Bhakti yoga. Le Jnana yoga, yoga de la connaissance ou de la sagesse, est la voie la plus difficile : il demande de grandes facultés intellectuelles et beaucoup de volonté. En appliquant la philosophie du Védanta, le Jnana yogi se sert de son mental pour découvrir sa propre nature. De même que pour nous l'espace à l'intérieur et à l'extérieur d'un verre semble différent, nous nous voyons séparés de Dieu. Le Jnana yoga amène l'aspirant à prendre conscience de son unité avec Dieu directement, comme s'il cassait le verre, en supprimant les voiles de l'ignorance. Avant de pratiquer le Jnana yoga, l'aspirant doit avoir intégré les leçons des autres voies yoguiques, car sans désintéressement et amour de Dieu, sans la force du corps et du mental, la recherche pour la réalisation du Soi ne peut être qu'une spéculation vaine. Le Raja yoga, voie que nous traitons surtout dans ce livre, est la science du contrôle physique et mental. Souvent appelée la « Voie Royale », elle propose une méthode complète qui permet de contrôler les vagues de la pensée, par la conversion de notre énergie mentale et physique en une énergie spirituelle.

Brahma

Vishnu

Les huit membres du Raja yoga

Codifiés par le Sage Patanjali dans les Yoga Sutras, les Huit Membres sont une série progressive d'étapes ou disciplines qui purifient le corps et le mental et qui amènent finalement le yogi à l'illumination : yamas, niyamas, asanas, pranayama, prathyhara, dharana, dhyana et samadhi. Les yamas ou restrictions sont divisées en cinq préceptes moraux, destinés à détruire notre nature inférieure : non-violence, véracité dans la pensée, parole et action, abstention de vol, modération en toute chose et non-possessivité. Les cinq Niyamas ou recommandations développent les qualités positives : pureté, contentement, austérité, étude des textes sacrés et conscience permanente de la Présence Divine. Les asanas ou postures, et le pranayama ou contrôle du souffle, constituent le Hatha-yoga, la première étape du Raja yoga. Pratyahara signifie le retrait et l'intériorisation des sens ; il apaise le mental et le prépare à Dharana ou concentration. Dharana conduit à Dhyana ou méditation dont le but final est Samadhi ou supra-conscience.

Siva

Sri Swami Sivananda
Né en 1887, Swami Sivananda fut un grand yogi et sage qui s'est dévoué au service de l'humanité et à l'étude du Védanta. Son enseignement de vie spirituelle se résume en six instructions simples : « Servez, Aimez, Donnez, Purifiez, Méditez, Réalisez. »

Le yoga dans le monde moderne

Le yoga est une science vivante qui a évolué pendant plusieurs millénaires et qui s'adapte encore aujourd'hui aux besoins de l'humanité. Un des personnages les plus importants dans le développement récent du yoga a été Swami Sivananda. Ce grand maître indien, d'abord médecin actif, renonça au monde pour se consacrer à la vie spirituelle. Doué d'une force et d'une énergie extraordinaires, il publia plus de 300 livres et revues, mettant à profit son passé médical dans l'enseignement du yoga, tout en restant très direct et très simple pour expliquer les sujets philosophiques les plus complexes. Sivananda fonda un Ashram et une Académie de yoga, et la « Divine Life Society » en 1935, qui se consacre aux idéaux de vérité, pureté, non-violence et la réalisation du Soi. Dans son Ashram de Rishikesh, il forma de grands disciples au yoga et au Védanta ; parmi eux, Swami Vishnu Devananda, qu'il envoya répandre la pratique du yoga en Occident. Swami Vishnu arriva à San Francisco en 1957 et voyagea pendant plusieurs années à

Les cinq principes

Bonne relaxation : *En vous libérant des tensions musculaires et en reposant tout l'organisme, elle vous laisse aussi reposé qu'après une bonne nuit de sommeil. Elle se ressent dans toutes vos activités, vous permet de conserver votre énergie et fait disparaître tous vos soucis et angoisses.*

Bon exercice : *Par les postures de yoga ou asanas, vous faites travailler systématiquement toutes les parties du corps, vous étirez et tonifiez vos muscles et ligaments, vous assouplissez la colonne vertébrale et les articulations et améliorez votre circulation.*

L'alimentation saine *est nourrissante et bien équilibrée, basée sur des aliments naturels. Elle allège et assouplit votre corps, calme votre mental et vous rend plus résistant aux maladies.*

Pensée positive et méditation *vous font éliminer les pensées négatives et calment le mental pour finalement transcender toutes les pensées.*

Bonne respiration : *C'est une respiration complète et rythmique qui fait travailler la totalité des poumons, pour accroître l'absorption d'oxygène. Les exercices de respiration yoguique ou pranayama vous enseignent à recharger votre corps et à contrôler votre état mental en régularisant le flux du prana, l'énergie vitale qui se trouve dans les chakras (à droite).*

travers les États-Unis, pour donner des conférences et démonstrations d'asanas, avant de créer un réseau international de Centres et Ashrams de Yoga Sivananda. Un des principaux représentants du Raja et Hatha-yoga dans le monde, Swami Vishnu se consacre activement à la cause de la paix universelle et de la fraternité. Lors d'une de ses missions pour la paix en 1971, il survola dans un petit avion les endroits agités dans le monde : Belfast, le Canal de Suez et Lahore (Pakistan occidental), les « bombardant » de prospectus pour les inciter à mettre un terme à la violence. Professeur très dynamique, Swami Vishnu a changé la vie de milliers d'étudiants dans ses Ashrams, et en a inspiré encore plus par ses écrits. En observant attentivement les modes de vie et les besoins des Occidentaux, il a synthétisé l'ancienne sagesse du yoga en cinq principes de base que vous pouvez facilement intégrer dans votre vie quotidienne, afin d'avoir une vie plus longue et plus saine. C'est autour de ces cinq principes (résumés ci-dessus) que ce livre a été conçu.

Relaxation

« Éveiller le monde des sens
tout en demeurant dans son harmonie..
c'est trouver le repos dans le silence. »
(Bhagavad Gita.)

Vivre corps et esprit détendus est pour nous un état naturel, un droit que nous acquérons dès la naissance ; ce n'est que le rythme accéléré de notre vie qui nous le fait oublier. Ceux qui en maîtrisent l'art détiennent la clé de la bonne santé, de la vitalité et de la paix intérieure, car la relaxation fortifie l'être tout entier, en libérant de vastes ressources d'énergie.

Notre état mental et notre état physique sont intimement liés. Si vos muscles sont détendus, votre mental sera détendu ; de la même manière, si le mental est tendu, le corps souffrira. Toute action trouve son origine dans le mental. Quand une stimulation ordonne au mental d'agir, le message est transmis par influx nerveux, ce qui permet alors aux muscles de se contracter. Dans le tourbillon d'activités qui caractérise le monde moderne, le mental est continuellement agressé par des stimuli qui peuvent nous amener à un état de stress permanent. Il en résulte que beaucoup de gens passent une bonne partie de leur vie, même pendant leur sommeil, dans un état de tension physique et mentale. Nous avons tous un point particulièrement faible, que ce soit une mâchoire crispée, le front plissé ou le cou rigide. Ces tensions inutiles, cause majeure de fatigue et de maladies, non seulement nuisent à notre bien-être physique, mais aussi épuisent nos ressources d'énergie. Car on utilise l'énergie à la fois pour contracter les muscles et pour les garder contractés, même si bien souvent nous n'en sommes qu'à moitié conscients.

Dans ce chapitre nous présentons la technique de la relaxation qui est fondamentale dans la pratique du yoga. La relaxation correcte se décompose en trois parties : relaxations physique, mentale et spirituelle. Pour relaxer le corps, allongez-vous dans la Posture du Cadavre (p. 24) et contractez puis relâchez chaque partie de votre corps l'une après l'autre, en remontant des pieds à la tête. Ceci est nécessaire car ce n'est

qu'en ayant éprouvé la tension que l'on ressent pleinement ce qu'est la relaxation. Tout comme dans la vie courante votre mental donne l'ordre à vos muscles de se tendre et de se contracter, vous relaxez ici vos muscles par autosuggestion. Avec la pratique vous apprendrez progressivement à utiliser votre subconscient pour étendre ce contrôle aux muscles involontaires du cœur, du système digestif et d'autres organes.

Pour vous relaxer et concentrer le mental vous respirez régulièrement et rythmiquement, en portant toute votre attention sur votre respiration. Cependant la relaxation mentale et physique ne peut être totale que si l'on a atteint un état de paix spirituelle. Car tant que vous vous identifierez à votre corps et à votre mental, peurs et inquiétudes, colères et peines persisteront. La relaxation spirituelle suppose le détachement : on devient témoin de son corps et de son mental de manière à s'identifier avec le Soi ou conscience pure, la source de vérité et de paix qui repose en chacun de nous.

Pendant la relaxation, vous aurez l'impression de vous dissoudre, de vous étaler, et éprouverez une sensation de légèreté et de chaleur. Quand tous les muscles sont détendus, une douce euphorie envahit tout le corps. La relaxation est plus un processus qu'un état, une série de niveaux de profondeur croissante. Il s'agit de laisser aller, au lieu de retenir, de ne pas faire, plutôt que de faire.

Alors que vous relaxez tout le corps et respirez lentement et profondément, certains changements psychologiques se produisent : vous consommez moins d'oxygène et vous éliminez moins de gaz carbonique ; la tension musculaire est moindre et l'activité du système nerveux parasympathique augmente. Même quelques minutes de relaxation profonde diminueront l'anxiété et la fatigue bien mieux que de nombreuses heures d'un sommeil agité.

La Posture du Cadavre

La Posture du Cadavre ou Savasana est la position classique de relaxation, que l'on pratique avant chaque séance, entre les asanas, et dans la Relaxation Finale (p. 26). Elle paraît simple de prime abord, mais c'est en fait un des asanas les plus difficiles à exécuter correctement et qui change et évolue avec la pratique. A la fin d'une série d'asanas, votre relaxation dans la Posture du Cadavre sera plus complète qu'au début car après avoir exécuté les autres asanas vos muscles se seront progressivement étirés et détendus. Au moment de vous allonger, assurez-vous que votre corps est en position symétrique, cette symétrie donnant à chacune des parties du corps l'espace nécessaire à la relaxation. Commencez à travailler dans la posture : faites pivoter vos jambes vers l'intérieur et vers l'extérieur, puis laissez-les doucement tomber vers l'extérieur. Faites de même avec vos bras. Faites pivoter votre colonne vertébrale en tournant la tête d'un côté à l'autre pour la centrer. Puis commencez à vous étirer, comme si quelqu'un voulait éloigner votre tête de vos pieds, vos épaules de votre cou, vos jambes de votre bassin en tirant. Laissez-vous emporter par la pesanteur. Sentez votre poids qui vous entraîne dans une relaxation plus profonde, et le corps qui s'enfonce dans le sol. Respirez profondément et lentement par l'abdomen (droite). Celui-ci s'élève et descend au rythme du souffle et s'enfonce davantage à chaque expiration. Sentez votre abdomen s'emplir et se vider. On observe de nombreux changements physiologiques : le corps perd moins d'énergie, le stress disparaît, la respiration et le pouls se ralentissent, l'organisme entier se repose. Au fur et à mesure que vous entrez en état de relaxation, vous sentirez votre mental devenir plus clair et détaché.

La Posture du Cadavre (droite)
Allongez-vous sur le dos, les pieds écartés d'un mètre environ et les mains à quinze centimètres à peu près du tronc, les paumes tournées vers le plafond. Mettez-vous à l'aise dans la position, et vérifiez la symétrie du corps. Les cuisses, les genoux et les orteils sont tournés vers l'extérieur. Fermez les yeux et respirez profondément.

Respiration Abdominale
Pour vérifier que vous respirez correctement, expirez et mettez les mains sur l'abdomen, les doigts croisés sans serrer. A l'inspiration, votre abdomen devrait se soulever, et décroiser vos doigts.

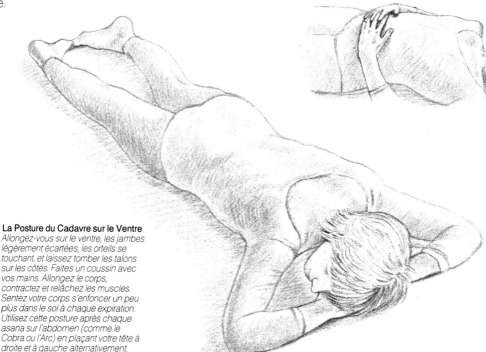

La Posture du Cadavre sur le Ventre
Allongez-vous sur le ventre, les jambes légèrement écartées, les orteils se touchant, et laissez tomber les talons sur les côtés. Faites un coussin avec vos mains. Allongez le corps, contractez et relâchez les muscles. Sentez votre corps s'enfoncer un peu plus dans le sol à chaque expiration. Utilisez cette posture après chaque asana sur l'abdomen (comme le Cobra ou l'Arc) en plaçant votre tête à droite et à gauche alternativement.

La relaxation finale

En pratiquant le yoga vous apprendrez à mieux percevoir votre corps, à distinguer l'état de tension et l'état de relaxation, et parviendrez à maîtriser ces états. A la fin d'une séance d'asanas, vous devriez toujours consacrer au moins dix minutes à la Relaxation Finale, pendant laquelle chaque partie du corps est relaxée l'une après l'autre. Pour se détendre il faut d'abord éprouver la tension. En commençant par les pieds, comme indiqué ci-dessous, vous contractez et soulevez chaque partie du corps, puis vous relâchez en la laissant tomber au sol. Laissez ensuite votre mental voyager dans tout le corps, et donner l'ordre à chaque partie de se relaxer. Abandonnez-vous. Pénétrez dans les profondeurs de votre mental. Reprenez conscience de votre corps en bougeant doucement les doigts et les orteils, respirez profondément, et, à l'inspiration, asseyez-vous.

Mains et bras
Soulevez votre main droite à quelques centimètres du sol. Poing serré, tendez le bras, puis relâchez. Répétez sur le côté gauche. Détendez.

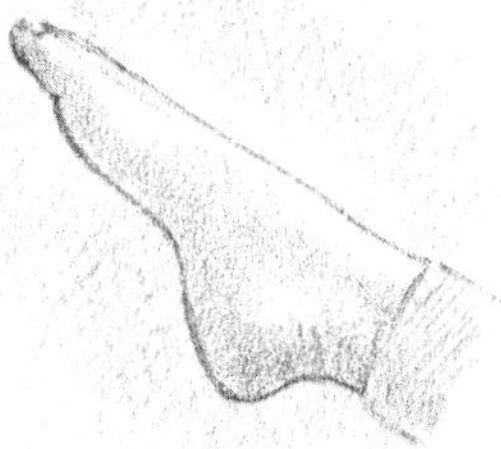

Pieds et jambes
Soulevez votre pied droit à quelques centimètres du sol. Tendez la jambe, contractez, puis relâchez. Répétez de l'autre côté.

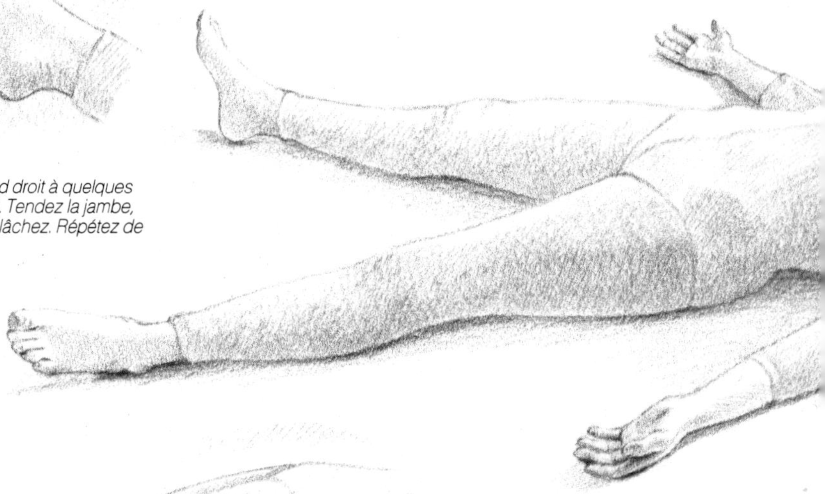

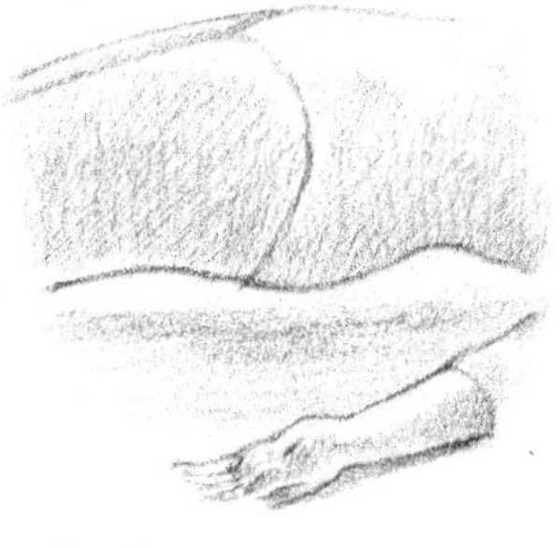

Bassin
Contractez les muscles fessiers, soulevez les hanches à quelques centimètres du sol pendant quelques secondes. Relâchez.

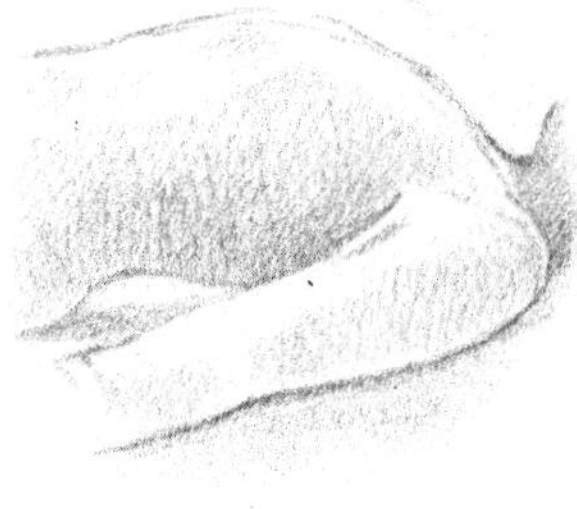

Poitrine
Contractez et soulevez le dos et la poitrine, les hanches et la tête restent au sol. Relâchez.

Autosuggestion

Après cette préparation, visualisez votre corps et répétez cette formule mentalement : « Je détends les orteils, je détends les orteils. Les orteils sont détendus. Je détends les mollets. Je détends les mollets. Les mollets sont détendus. » Parcourez ainsi le corps des pieds à la tête, en faisant attention de ne rien omettre : l'estomac, les poumons, le cœur, la mâchoire, le cuir chevelu, le cerveau, etc. Sentez une vague de détente monter dans votre corps alors que vous prenez conscience de chaque partie. A chaque inspiration sentez une vague d'oxygène descendre jusqu'à vos pieds ; à chaque expiration sentez vos tensions disparaître. Votre mental est semblable à un lac paisible et profond, sans vagues. Plongez au fond de ce lac, dans votre être intérieur, et découvrez une vraie nature.

Visage
Contractez les muscles du visage, faites une grimace en plissant le nez. Puis étirez le visage, ouvrez grands les yeux et tirez la langue le plus loin possible. Détendez.

Tête
Rentrez légèrement le menton et faites rouler votre tête doucement d'un côté à l'autre. Trouvez une position agréable, la tête bien centrée. Relaxez.

Épaules
Soulevez les épaules en les amenant près des oreilles. Relâchez. Puis étirez chaque bras l'un après l'autre, le long du corps, et relaxez.

La séance de base

« La pratique des asanas vous rend souple,
ferme et en bonne santé. »
(Hatha Yoga Pradipika.)

Dans ce chapitre, vous trouverez la série d'asanas ou postures qui constituent la base de votre pratique quotidienne. Pour comprendre la nature des asanas, il vous faut en ressentir les effets vous-même. Les asanas ne sont pas des exercices, mais des postures qui doivent être tenues, et que l'on exécute lentement et avec recueillement, en y associant une respiration abdominale profonde. Ces mouvements doux non seulement réveillent la conscience et la maîtrise de votre corps, mais ont également un profond effet spirituel : ils vous libèrent de la peur et insufflent en vous confiance et sérénité. A la fin d'une séance de yoga, vous vous sentirez détendus et pleins d'énergie ; contrairement à d'autres types d'exercices physiques qui vous fatiguent, car ils vous demandent de trop grands efforts.

Chaque asana se compose de trois phases : prendre la posture, la tenir et la relâcher. Pour plus de clarté, nous vous apprenons ici les différentes étapes pour exécuter les postures correctement. Vous ne devez pas tenir les positions préliminaires, sauf si cela est mentionné. Vous devriez les exécuter comme un mouvement continu, qui vous amène à la posture finale. Le vrai travail d'un asana se fait pendant que vous tenez la posture ; les adeptes de yoga restent immobiles pendant des heures d'affilée. Essayez de rester immobile pendant que vous tenez la posture et respirez lentement et profondément, en concentrant votre mental. Une fois que vous êtes capable de vous détendre dans une posture, vous pouvez la modifier pour vous étirer davantage. Relâchez toujours la posture avec autant de grâce et de maîtrise que lorsque vous l'avez prise.

Les asanas ont un effet sur tout l'organisme. Ils assouplissent la colonne vertébrale et les articulations, et tonifient les muscles, les glandes et les organes internes. Bien qu'au début ce soit l'aspect physique des postures qui ait le plus d'effet sur vous, avec la pratique vous deviendrez de plus en plus conscient de la circulation du prana, l'énergie vitale, et de l'importance d'une bonne respiration, le pranayama. Le but final des asanas et du pranayama est de purifier les nadis ou conduits nerveux, pour que le prana puisse y circuler librement, et de préparer le corps à l'éveil de la Kundalini, l'énergie cosmique suprême, qui permet au yogi d'atteindre un état de conscience divine.

La séance de base convient à tous les âges et à tous les niveaux, des débutants aux plus avancés. Si vous débutez à peine, suivez le cours de base des pp. 66-67 pendant les premières semaines. Ne vous découragez pas si vos progrès semblent lents au début et si vos asanas ressemblent peu à ceux qui figurent sur nos illustrations. Progressivement et avec la pratique, vous vous en rapprocherez. Visualisez-vous exécuter un asana parfaitement, même si vous ne le maîtrisez pas encore. En ayant une approche positive de chaque asana et en utilisant vos pouvoirs de visualisation, vous pouvez accélérer vos progrès considérablement. Surtout, ne prenez jamais le risque de vous faire mal en forçant dans une posture ou en fournissant un effort trop important par rapport à vos capacités du moment. Vous ne pouvez étirer vos muscles que s'ils sont détendus et ainsi progresser dans une posture.

Malgré la précision avec laquelle nous présentons les asanas, aucun livre ne remplacera l'aide d'un professeur ; aussi essayez de participer à un cours le plus souvent possible, afin de vous assurer que vous exécutez les postures correctement et de mieux apprendre le rythme des exercices de respiration et des asanas. Le fait d'observer et de parler à des élèves qui sont plus avancés que vous sera également une source d'inspiration.

La série d'Asanas

Dans la pratique du Hatha Yoga, il est nécessaire de travailler selon un schéma précis. La série d'asanas exposés ici, mise au point par Swami Visnu, est une série complète d'exercices d'échauffement et d'asanas, qu repose sur une base scientifique solide. Son objectif est de conserver la courbure naturelle de la colonne vertébrale, et de maintenir tout l'organisme en bonne santé (voir pp. 176-187). Pendant la suite d'asanas le corps entier est plié, étiré et tonifié. Chaque asana augmente ou contrebalance les effets du précédent. Chaque série d'asanas est suivie d'une autre série qui procure un étirement opposé. Ainsi, les trois postures en flexion arrière — le Cobra, la Sauterelle et l'Arc — sont exécutées après la Flexion Avant. De la même manière, tout asana que l'on a travaillé d'abord sur un côté est toujours répété de l'autre côté. Que vous débutiez dans le yoga ou que vous soyez déjà assez avancé, considérez la série d'asanas comme un schéma de base auquel s'ajouteront par la suite d'autres postures. Une fois que vous avez dépassé le stade de débutant, vous pouvez intégrer dans la séquence de nouveaux asanas tirés du chapitre « Asanas et Variations » (voir pp. 100-155). Ne vous inquiétez pas si vous ne disposez pas d'assez de temps pour exécuter tous les asanas, le tableau pratique p. 66 comporte un « cours d'une demi-heure ». Regardons maintenant les éléments qui composent la série d'asanas.

La séance commence avec deux ou trois minutes de relaxation dans la **Posture du Cadavre** (voir p. 24). Vous devriez utiliser ce moment pour vous relaxer, en respirant profondément et en vous concentrant sur votre respiration. Après chaque asana, détendez-vous dans cette posture jusqu'à ce que votre respiration et votre rythme cardiaque redeviennent

réguliers (Après le Cobra, la Sauterelle et l'Arc, relaxez-vous sur l'abdomen). Asseyez-vous ensuite dans la **Posture Facile** (ou dans une autre posture de méditation) pour le pranayama, ou exercices de respiration (pp. 68-77), qui vous rechargeront en énergie. En restant dans la posture, vous libérerez toute raideur dans la partie supérieure du corps en pratiquant les **Exercices pour le Cou et les Épaules,** puis les **Exercices pour les Yeux,** afin de fortifier ces muscles trop peu utilisés. Mettez-vous ensuite à genoux pour la **Posture du Lion,** qui libère les tensions de la nuque et de la gorge.

Puis levez-vous pour la **Salutation au Soleil.** Les mouvements de flexion et d'étirement de cette série de douze positions échauffent et tonifient tout le corps, assouplissent la colonne vertébrale et facilitent l'exécution des autres asanas de la séance.

Allongez-vous ensuite pour faire une série d'**Exercices pour les Jambes.** Ceux-ci fortifient les muscles de l'abdomen et du bas du dos, en préparant le corps à la **Posture sur la Tête.**

Pendant la **Posture sur la Tête** (un des asanas les plus importants), seuls la tête et les avant-bras sont en contact avec le sol et le corps est complètement inversé. Tenir cette posture a des effets très bénéfiques.

Puis vient une série de trois postures : la Posture sur les Épaules, la Charrue et le Pont, chacune exécutée en partant de la même position du cou et des épaules. Dans la **Posture sur les Épaules** le corps est à nouveau inversé et le torse et les jambes sont tendus et levés vers le plafond, comme dans la Posture sur la Tête, mais ici le poids du corps repose sur les épaules, le haut des bras, la tête et la nuque. Les vertèbres cervicales et le cou sont étirés. Dans la **Charrue,** l'étirement du cou et des vertèbres cervicales s'intensifie, la colonne

vertébrale est fléchie vers l'avant de 'manière à amener les pieds derrière a tête. Dans le **Pont,** le torse est déroulé dans l'autre sens, les pieds au sol devant vous, et la colonne vertébrale se cambre dans la position opposée à la Charrue. Si vous êtes débutant il faudra vous relaxer dans la Posture du Cadavre entre ces trois asanas. Mais le contrôle et la souplesse que vous acquérerez avec a pratique vous permettront de passer de la Posture sur les Épaules pour passer directement au Pont sans qu'il soit nécessaire de vous allonger et de vous relaxer.

.e **Poisson** sert de contre-posture aux trois asanas précédents, puisqu'il comprime au lieu d'étirer la nuque et es vertèbres cervicales, et élimine les ensions locales.

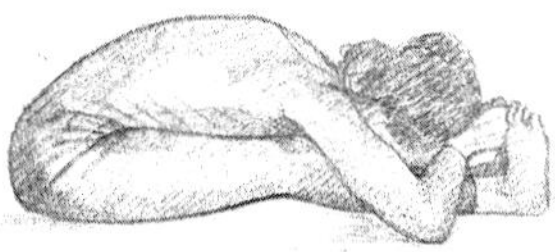

'uis vient la **Flexion Avant.** Cette posture suit et complète la Charrue, nais ici c'est plus le bas que le haut e la colonne vertébrale qui est étiré u maximum. Cette posture est suivie 'une série de trois asanas sur

abdomen : le Cobra, la Sauterelle et Arc, qui à eux trois assouplissent tout dos. Dans le **Cobra,** la tête et le onc sont soulevés et tirés en arrière. ans la **Sauterelle,** la tête et la poitrine restent au sol alors que les jambes et les hanches se soulèvent. L'**Arc** est une combinaison des deux autres postures de flexion arrière, dans laquelle les deux moitiés du corps sont pliées simultanément, celui-ci reposant uniquement sur l'abdomen.

Après avoir exécuté les flexions avant et arrière, vous vous asseyez pour la **Demi-Torsion Vertébrale,** qui fait pivoter le corps de chaque côté alternativement, en tordant la colonne vertébrale latéralement. Toujours assis, vous prenez une des postures de méditation les plus connues, le **Lotus.** Dans cet asana la tête, la nuque et la colonne vertébrale

forment une ligne droite, et les jambes sont croisées de manière à constituer une base stable, idéale pour la méditation.

Puis vient le **Corbeau,** bon exercice pour l'équilibre et pour la concentration, dans lequel seules les mains sont en contact avec le sol, et portent tout le poids du corps. La série d'asanas se termine avec deux postures debout : la **Posture des Mains aux Pieds,** qui fléchit le corps vers l'avant et renverse le tronc, et le **Triangle** qui étire la colonne vertébrale de chaque côté alternativement. Chaque séance se termine par une Relaxation Finale. Allongé dans la **Posture du Cadavre** pendant au moins dix minutes, vous relaxez chaque partie du corps l'une après l'autre, comme cela est décrit à la p. 24. Dès le début, intégrez ce temps de relaxation dans votre séance d'asanas, sinon votre mental trouverait une excuse pour ne pas la faire et vous ne bénéficieriez pas des effets complets des asanas.

Détails pratiques

Votre corps et le sol sont les seuls outils nécessaires à la pratique du yoga, plus un peu d'autodiscipline. Prenez l'habitude de pratiquer vos asanas au même moment de la journée ; il est plus bénéfique de faire une séance courte quotidiennement qu'une séance longue tous les quelques jours. Gardez-vous un moment particulier que vous pouvez réserver pour vous, à l'abri du monde extérieur. Le soir avant le dîner ou tôt le matin (bien qu'à ce moment-là votre corps soit un peu plus raide) sont les meilleurs moments. Quel que soit le moment choisi, exécutez toujours vos asanas l'estomac vide (essayez de ne pas manger pendant au moins deux heures avant votre séance). Pratiquez vos asanas sur une couverture, avec des vêtements amples et confortables, les vêtements serrés gênent la respiration et la circulation. Gardez les pieds nus et enlevez votre montre et tout autre bijou. Surtout, veillez à ce que le corps reste à la même température, car si vous prenez froid vos muscles se raidiront. Pratiquez dans une pièce bien aérée ou, si le temps le permet, à l'extérieur.

Attention
Les femmes qui portent un stérilet devraient consulter régulièrement leur médecin, afin de s'assurer que l'appareil ne s'est pas déplacé, car certains asanas provoquent des mouvements internes.

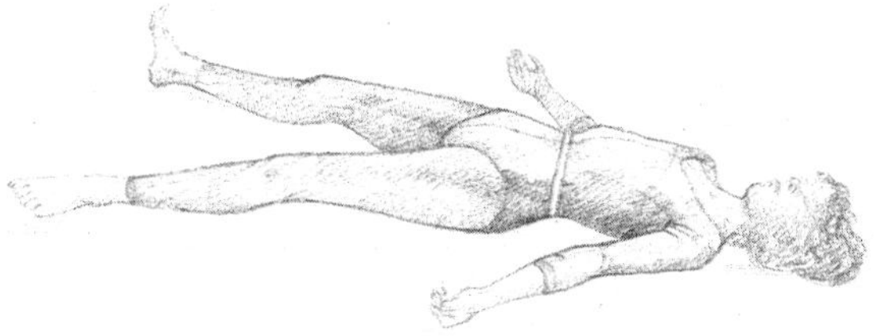

La séance commence

La Posture Facile

Après vous être relaxé dans la Posture du Cadavre pendant quelques minutes, asseyez-vous dans la Posture Facile, Sukhasana, pour pratiquer le pranayama (voir pp. 68-77) et les Exercices pour la Nuque, les Épaules et les Yeux illustrés ci-dessous. Cet asana est une des postures classiques de méditation qui permet à la colonne vertébrale de se redresser, au métabolisme de se régulariser et au mental de se calmer. Si vous n'êtes pas à l'aise dans cette posture, mettez un coussin sous les fesses. Pour que les muscles des jambes soient étirés de manière égale, alternez le croisement des jambes. Quand vous serez prêt, vous remplacerez cette posture par le Demi-Lotus ou Lotus.

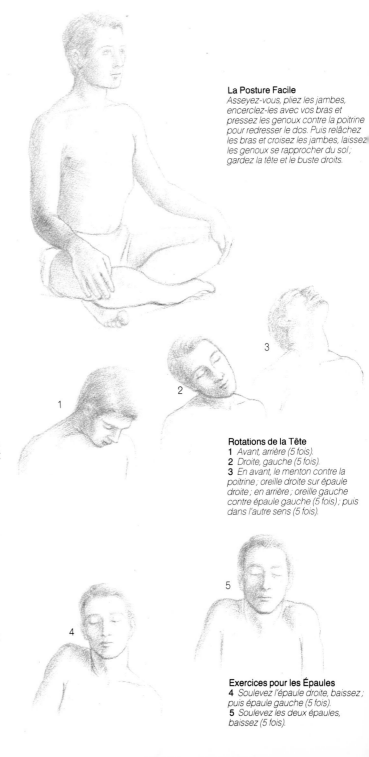

La Posture Facile
Asseyez-vous, pliez les jambes, encerclez-les avec vos bras et pressez les genoux contre la poitrine pour redresser le dos. Puis relâchez les bras et croisez les jambes, laissez les genoux se rapprocher du sol ; gardez la tête et le buste droits.

Rotations de la Tête
1 *Avant, arrière (5 fois).*
2 *Droite, gauche (5 fois).*
3 *En avant, le menton contre la poitrine ; oreille droite sur épaule droite ; en arrière ; oreille gauche contre épaule gauche (5 fois) ; puis dans l'autre sens (5 fois).*

Nuque et Épaules

A cause des tensions dans la nuque et les épaules, nous subissons des raideurs, des maux de tête et nous nous tenons mal. La répétition de ces cinq exercices élimine les tensions, et assouplit et tonifie les muscles. Exécutez-les lentement et gardez la colonne vertébrale droite, la nuque détendue et les épaules redressées. Pour commencer, laissez tomber votre tête en arrière, puis en avant. Ensuite, en maintenant la tête dans le prolongement du corps, tournez-la à droite, revenez au centre, puis à gauche. Laissez tomber la tête en avant et faites-la pivoter de droite à gauche en effectuant des rotations aussi larges que possible. Répétez dans la direction opposée. Soulevez l'épaule droite, et relâchez. Faites de même de l'autre côté. Enfin, soulevez les deux épaules en même temps, et relâchez.

Exercices pour les Épaules
4 *Soulevez l'épaule droite, baissez ; puis épaule gauche (5 fois).*
5 *Soulevez les deux épaules, baissez (5 fois).*

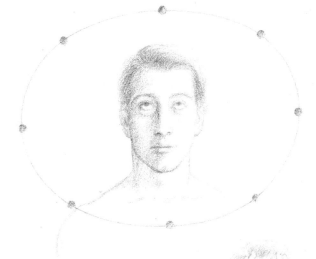

Exercices pour les Yeux

Comme les autres muscles, les muscles des yeux ont besoin d'exercice pour conserver leur vitalité et leur efficacité. La plupart du temps les mouvements des yeux restent limités, et nous tournons trop souvent la tête plutôt que les yeux pour regarder ailleurs. Ces cinq exercices fortifient les muscles, empêchent les yeux de se fatiguer et améliorent la vue, car ils mobilisent les yeux dans toutes les directions, sans bouger la tête. Pendant que vous pratiquez ces exercices, respirez normalement. Tout d'abord, regardez en haut, puis en bas. Tournez le regard vers l'extrême droite, et vers l'extrême gauche. Regardez ensuite en haut à droite, puis en diagonale en bas à gauche. Répétez dans l'autre sens. Imaginez une grande horloge ; en partant de 12 heures, faites-en le tour, assez lentement pendant deux tours puis plus vite pendant trois tours. Refaites l'exercice dans le sens contraire. Enfin, tenez votre pouce à peu près à 30 cm de votre visage, et déplacez le regard du pouce au mur et vice versa. Pour finir, placez les paumes des mains sur les yeux comme l'indique le dessin.

Exercices pour les Yeux
1 *Regardez en haut, en bas (5 fois).*
2 *A droite, à gauche (5 fois).*
3 *En haut à droite, en bas à gauche (5 fois) ; en haut à gauche, en bas à droite (5 fois).*
4 *En haut, puis tournez dans le sens des aiguilles d'une montre (5 fois) ; puis dans le sens opposé (5 fois).*
5 *Regardez le pouce, puis le mur, alternativement (5 fois).*

Paumes des mains
Frottez vigoureusement les paumes des mains l'une contre l'autre pour les réchauffer. Posez-les sur vos yeux fermés, sans appuyer. La chaleur et l'obscurité détendront vos yeux.

La Posture du Lion

Dans Simhasana, la langue est étirée aussi loin que possible, le regard est dirigé vers le plafond, tout le corps est contracté comme un lion prêt à bondir. Cette posture augmente la vascularisation de la langue et de la gorge, améliore la voix et tonifie les muscles du visage et de la gorge. Elle stimule également les yeux et vous prépare aux trois bandhas (p. 75). Répétez quatre à six fois.

La Posture du Lion
Asseyez-vous sur les talons. Posez les paumes des mains sur les genoux, les doigts écartés, et inspirez par le nez. Penchez-vous légèrement en avant et expirez par la bouche, en prononçant le son AAAH. En même temps tirez la langue vers le bas, étirez les doigts et regardez vers le plafond. Restez dans la position aussi longtemps que possible, puis fermez la bouche et inspirez par le nez.

La Salutation au Soleil

La Salutation au Soleil ou Surya Namaskar assouplit tout le corps et le prépare aux asanas. C'est une série de mouvements harmonieux composée de douze postures à exécuter dans un mouvement continu. Chaque posture contrebalance la précédente, le corps s'étire différemment, la poitrine s'ouvre et se ferme pour régulariser le souffle. Pratiquée quotidiennement, elle assouplira considérablement la colonne vertébrale et les articulations, et affinera votre taille. Un cycle de Salutation au Soleil se compose de deux parties : on jette d'abord le pied droit en avant dans les positions 4 et 9, puis le pied gauche (comme l'indique l'illustration). Les mains restent à la même place de la position 3 à la position 10. Essayez de coordonner vos mouvements avec votre respiration. Commencez par quatre cycles de Salutation puis progressez jusqu'à douze.

1 *Debout, les pieds joints, paumes des mains contre la poitrine dans la position de la prière. Vérifiez que votre poids est également réparti. Expirez.*

2 *Inspirez, tendez les bras vers le plafond et étirez-vous en arrière en poussant les hanches vers l'avant, jambes tendues. Relaxez votre nuque.*

Dans la mythologie hindoue, le dieu du soleil est vénéré comme un symbole de santé et d'immortalité. Le Rig Veda déclare : « Surya est l'âme des êtres animés et des êtres inanimés. » La Salutation au Soleil était à l'origine une série de prosternations au soleil. Traditionnellement, elle est exécutée à l'aube, face au soleil levant. Peu à peu un mantra fut attribué à chacune des douze positions, célébrant certains aspects de la divinité solaire.

3 *Expirez. Pliez-vous en avant et placez les paumes des mains au sol, les doigts en ligne avec les orteils. Pliez les genoux si nécessaire.*

4 *Inspirez. Jetez le pied gauche (ou droit) vers l'arrière et posez le genou au sol. Cambrez-vous, soulevez le menton et regardez le plafond.*

5 *Retenez le souffle, jetez l'autre jambe en arrière, le poids du corps est réparti sur les mains et les orteils. Le corps doit former une ligne droite, regardez le sol entre vos mains.*

6 *Expirez. Posez les genoux, la poitrine, puis le front au sol ; les hanches restent levées et les orteils retournés.*

12 *Expirez. Revenez doucement en position verticale et ramenez les bras sur les côtés.*

11 *Inspirez. Levez les bras en avant, étirez-les vers l'arrière, puis cambrez-vous lentement à partir de la taille, comme dans la position 2.*

10 *Expirez. Ramenez l'autre jambe en avant et pliez le corps à partir de la taille, les paumes des mains posées au sol comme dans la position 3.*

9 *Inspirez. Jetez le pied gauche (ou droit) entre les deux mains, l'autre genou reste au sol, les yeux vers le plafond, comme dans la position 4.*

8 *Expirez. Retournez vos orteils vers l'intérieur, soulevez les hanches de manière que votre corps ait la forme d'un « V » renversé. Poussez les talons et la tête vers le sol, en gardant les épaules en arrière.*

7 *Inspirez. Baissez les hanches, le dessus des pieds au sol, et cambrez-vous en arrière. Gardez les jambes ensemble et les épaules basses. Regardez en haut et en arrière.*

Exercices pour les Jambes

Ces exercices simples préparent le corps aux asanas, fortifient particulièrement les muscles du bas du dos et de l'abdomen (qui servent à monter dans la Posture sur la Tête) et affinent les hanches et les cuisses. Si vos muscles manquent de force, il faudra peut-être cambrer le bas du dos ou vous aider de vos épaules pour lever les jambes. Pour tirer le plus grand profit de ces exercices, assurez-vous que le dos repose sur le sol dans toute sa longueur, et gardez les épaules et la nuque détendues. Commencez tous ces exercices les jambes ensemble et les paumes des mains au sol sur les côtés.

Exercice pour une Jambe
1 A l'inspiration, levez la jambe droite aussi haut que possible ; puis, à l'expiration, baissez-la. Répétez avec la jambe gauche. Exécutez trois fois.

2 En inspirant, levez la jambe droite, puis saisissez-la avec les deux mains et tirez-la vers vous, en gardant la tête au sol. Respirez plusieurs fois.

Exercice pour une Jambe

Dans ces séries, on lève une jambe tandis que l'autre reste à plat sur le sol. Au début vous pouvez prendre appui sur les mains pour aider à lever la jambe. Puis quand votre musculature se sera fortifiée, laissez les mains paumes tournées vers le plafond sur les côtés. Gardez les deux jambes tendues et appuyez le bas du dos contre le sol pour allonger la colonne vertébrale.

3 Puis portez le menton sur le tibia et restez dans la position pendant une respiration profonde ; puis, à l'expiration, baissez la tête et la jambe. Répétez trois fois de chaque côté.

Pression Abdominale Simple
1 A l'inspiration, pliez la jambe droite et encerclez le genou avec les mains ; pressez contre la poitrine. A l'expiration, relâchez. Répétez avec la jambe gauche.

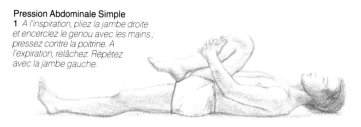

Pression Abdominale Simple

Comme le suggère son nom, cet exercice, Vatayanasana, masse doucement le système digestif et élimine les gaz de l'estomac et des intestins. Il tonifie et étire également le bas du dos. Pendant que vous le pratiquez, évitez de lever le bas du dos ou les fesses du sol. Essayez de garder la jambe qui est sur le sol aussi droite que possible.

2 Répétez 1, puis portez votre menton au genou. Respirez, relâchez. Faites de même avec la jambe gauche.

Exercice pour les Deux Jambes

Parmi tous les exercices pour les jambes que nous présentons ici, celui-ci est le plus difficile, surtout si vos muscles abdominaux sont peu développés. Peut-être qu'au début vous ne pourrez pas lever les jambes droites à 90°, dans ce cas pliez légèrement les genoux en levant les jambes, puis tendez-les à nouveau lorsqu'elles sont à la verticale. Pousser sur les mains vous aidera à lever les jambes. Si vous avez une faiblesse particulière dans le bas du dos ou les muscles abdominaux, essayez de croiser vos doigts et de les mettre sur votre abdomen afin de développer une paire de « muscles » supplémentaires. Appuyez sur le ventre à chaque contraction des muscles abdominaux. Quelle que soit la méthode adoptée, gardez toujours le bas du dos et les fesses au sol. Quand vous serez capable d'exécuter les exercices pour les deux jambes sans effort, baissez les jambes aussi lentement que possible et maintenez les pieds à quelques centimètres du sol entre les différentes élévations pour faire travailler davantage vos muscles.

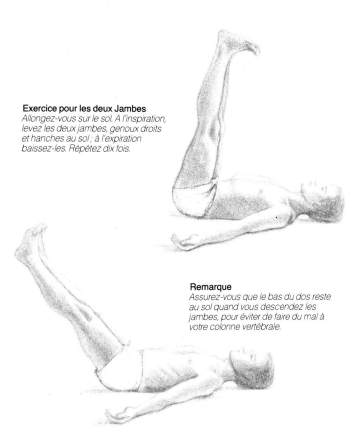

Exercice pour les deux Jambes
Allongez-vous sur le sol. A l'inspiration, levez les deux jambes, genoux droits et hanches au sol ; à l'expiration baissez-les. Répétez dix fois.

Remarque
Assurez-vous que le bas du dos reste au sol quand vous descendez les jambes, pour éviter de faire du mal à votre colonne vertébrale.

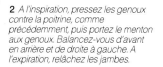

Pression Abdominale Double
1 A l'inspiration, pliez les jambes, encerclez les genoux avec les mains et pressez-les contre la poitrine. A l'expiration, relâchez les jambes.

2 A l'inspiration, pressez les genoux contre la poitrine, comme précédemment, puis portez le menton aux genoux. Balancez-vous d'avant en arrière et de droite à gauche. A l'expiration, relâchez les jambes.

Pression Abdominale Double

Comme la pression abdominale simple (page précédente), cet exercice est un excellent massage abdominal et favorise l'élimination des gaz intestinaux. Dans la position 1 gardez les épaules et la tête au sol et poussez le bas du dos contre le sol. Essayez de maintenir un rythme de balancement régulier et contrôlé. Le balancement élimine les raideurs de la colonne vertébrale en massant doucement les vertèbres, les muscles du dos et les ligaments environnants.

La Posture sur la Tête

La Posture sur la Tête ou Sirshasana, le roi des asanas, est une des postures dont les effets sont les plus puissants, à la fois sur le corps et sur le mental. En inversant les effets normaux de la pesanteur, elle repose le cœur, stimule la circulation et soulage la pression dans le bas du dos. Pratiquée régulièrement, elle empêchera les problèmes de dos et améliorera la mémoire, la concentration et les facultés sensorielles. Inverser le corps vous fait également respirer profondément, apportant au cerveau du sang frais, riche en oxygène ; les légères difficultés de respiration que vous pouvez ressentir au début disparaîtront rapidement. La maîtrise de la Posture sur la Tête ne demande pas beaucoup de force. Mais il vous faut surmonter votre peur et avoir confiance en vous. La clé de l'équilibre est le triangle formé par les coudes et les mains. Assurez-vous que vos coudes ne s'écartent pas.

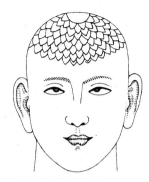

« Celui qui pratique la Posture sur la Tête trois heures par jour parvient à la maîtrise du temps. » (Yoga Tattva Upanishad.)

1 Mettez-vous à genoux et placez le poids du corps sur les avant-bras ; serrez les mains autour des coudes.

2 Relâchez les mains et placez-les devant vous en croisant les doigts. Vos coudes restent dans cette position.

3 Placez l'arrière de la tête contre les mains et le sommet du crâne sur le sol. Les mains et les coudes forment un triangle, base solide pour le corps inversé.

4 Puis allongez vos jambes et levez les hanches.

5 Sans plier les genoux, rapprochez les pieds le plus possible de la tête. Reculez les hanches de façon que votre cou ne soit penché ni en arrière ni en avant mais en ligne droite avec la colonne vertébrale.

6 Pliez vos genoux vers la poitrine et soulevez les pieds du sol en poussant les hanches vers l'arrière. Marquez un temps d'arrêt : n'essayez pas tout de suite de lever les genoux plus haut.

7 Puis, en gardant les genoux pliés, levez-les vers le plafond en utilisant vos muscles abdominaux.

Attention : *Les personnes souffrant d'hypertension, de glaucome ou d'un décollement de la rétine devraient d'abord pratiquer des asanas qui peuvent améliorer leur état avant d'entreprendre la Posture sur la Tête.*

La Posture de l'Enfant

Cette posture de relaxation sert à régulariser la circulation après la Posture sur la Tête et à contre-étirer la colonne vertébrale après les flexions arrière. Agenouillez-vous et asseyez-vous sur les pieds, les orteils allongés. Placez le front au sol et amenez vos bras le long du corps, les paumes tournées vers le haut.

8 *Puis allongez lentement vos jambes ; vous sentirez presque tout le poids du corps sur les avant-bras. Pour redescendre, reprenez les positions 7, 6 et 5. Reposez-vous dans la Posture de l'Enfant pendant au moins six respirations profondes.*

La Posture sur les Épaules

Selon Swami Sivananda trois asanas principaux suffisent à maintenir le corps en parfaite santé : la Posture sur la Tête, la Posture sur les Épaules et la Flexion Avant. La Posture sur les Épaules tonifie et rajeunit tout le corps ; son nom sanskrit, Sarvangasana, signifie littéralement : « Posture du corps tout entier ». Idéale pour vous mettre en forme, elle apporte presque les mêmes bénéfices que la Posture sur la Tête, avec la différence qu'en levant le corps perpendiculairement à la tête, elle étire la nuque et les vertèbres cervicales, et surtout stimule les glandes thyroïde et parathyroïde par la pression du menton contre la gorge. Cette posture favorise la respiration abdominale profonde puisqu'elle limite l'utilisation de la partie supérieure des poumons. Au début cela peut paraître un peu difficile, mais vous vous adapterez vite à mesure que vous vous relaxez dans la posture. Pour relâcher la Posture sur les Épaules, déroulez toujours le dos comme décrit ci-dessous.

« Il faut pratiquer ce yoga avec foi, avec un cœur fort et courageux. »
(Bhagavad Gita.)

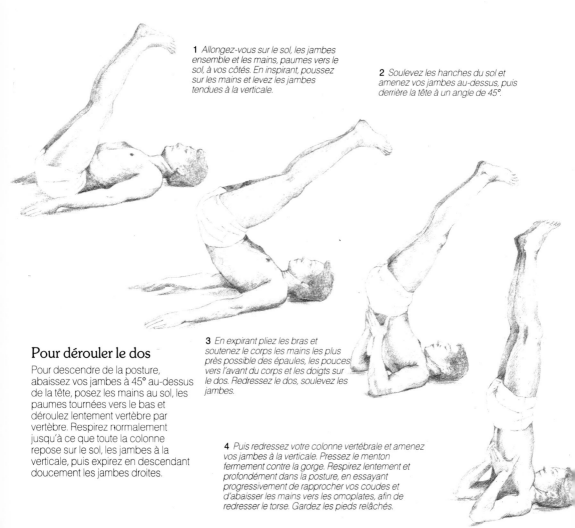

1 *Allongez-vous sur le sol, les jambes ensemble et les mains, paumes vers le sol, à vos côtés. En inspirant, poussez sur les mains et levez les jambes tendues à la verticale.*

2 *Soulevez les hanches du sol et amenez vos jambes au-dessus, puis derrière la tête à un angle de 45°.*

Pour dérouler le dos

Pour descendre de la posture, abaissez vos jambes à 45° au-dessus de la tête, posez les mains au sol, les paumes tournées vers le bas et déroulez lentement vertèbre par vertèbre. Respirez normalement jusqu'à ce que toute la colonne repose sur le sol, les jambes à la verticale, puis expirez en descendant doucement les jambes droites.

3 *En expirant pliez les bras et soutenez le corps les mains les plus près possible des épaules, les pouces vers l'avant du corps et les doigts sur le dos. Redressez le dos, soulevez les jambes.*

4 *Puis redressez votre colonne vertébrale et amenez vos jambes à la verticale. Pressez le menton fermement contre la gorge. Respirez lentement et profondément dans la posture, en essayant progressivement de rapprocher vos coudes et d'abaisser les mains vers les omoplates, afin de redresser le torse. Gardez les pieds relâchés.*

La Charrue

La Charrue ou Halasana complète le mouvement de la Posture sur les Épaules, amène les pieds et les mains au sol, donnant ainsi au corps la forme d'une charrue primitive. Beaucoup de ces effets sont similaires à ceux de la Posture sur les Épaules : elle assouplit la colonne vertébrale et la nuque, nourrit les nerfs spinaux et fortifie les muscles des épaules, du dos et des bras tout en relâchant les tensions. En comprimant l'abdomen on masse les organes internes. Quand vous exécutez la Charrue, faites attention à garder votre colonne vertébrale étirée et vos jambes tendues. Au début, peut-être, vos pieds ne toucheront pas le sol, mais au fur et à mesure que votre colonne s'assouplira, le poids de vos jambes les abaissera progressivement. Les élèves avancés peuvent prendre directement cette posture après la Posture sur les Épaules, mais les débutants se relaxeront entre les deux. Pour relâcher, déroulez le dos de la même façon que pour la Posture sur les Épaules.

« Semez l'amour, récoltez la paix...
Semez la méditation, récoltez la sagesse. »
(Swami Sivananda.)

1 *Allongé sur le dos avec les jambes ensemble et les paumes des mains au sol à vos côtés, inspirez et levez vos jambes. Expirez puis inspirez et soulevez les hanches du sol.*

2 *Soutenez le dos avec vos mains en rapprochant vos coudes au maximum. Puis, sans plier les genoux, expirez et descendez vos jambes derrière la tête. Si vos pieds ne touchent pas encore le sol, continuez à respirer profondément dans cette position.*

3 *Si vos pieds touchent facilement le sol, éloignez-les le plus possible de votre tête, les orteils retournés vers le sol ; redressez le torse vers le haut et les talons vers l'arrière. Puis croisez vos mains et tendez vos bras derrière le dos. Respirez lentement et profondément.*

Le Pont

Le Pont, complémentaire à la Charrue, amène les pieds au sol à partir de la Posture sur les Épaules, dans la direction opposée. Cela inverse l'étirement de la colonne vertébrale et soulage la pression au niveau de la nuque. Son nom sanskrit, Sethu Bandasana, signifie : « Posture de la construction du pont », évoquant la façon dont le corps crée un arc parfait depuis la tête jusqu'aux orteils. Prenez et relâchez plusieurs fois la posture pour fortifier les muscles abdominaux et du bas du dos et assouplir la colonne et les poignets. Pour venir dans le Pont depuis la Posture sur les Épaules il faut avoir le dos assez souple ; au début, vous devrez monter dans la posture depuis le sol (alternative 1). Les élèves avancés peuvent exécuter la Posture sur les Épaules, la Charrue et le Pont en une série continue.

« Il y a un pont entre le temps et l'éternité ; ce pont est l'Atman, l'Esprit de l'homme. »
(Chandogya Upanishad.)

Alternative 1. *Allongez-vous sur le dos, les genoux pliés, les pieds ensemble ; soutenez le bas du dos avec vos mains comme dans la Posture sur les Épaules puis soulevez vos hanches aussi haut que possible. Procédez ensuite comme indiqué ci-dessus en 3. Relâchez lentement la posture en suivant les étapes inverses.*

Attention : *Il est très important de prendre la même position de mains dans le Pont et dans la Posture sur les Épaules, c'est-à-dire les pouces vers le haut. Vous risquez de vous fouler les pouces si vous les placez en dessous du dos.*

1 *Montez dans la Posture sur les Épaules en soutenant la taille avec les mains. Pliez une jambe et abaissez le pied vers le sol.*
2 *Répétez avec l'autre jambe. Gardez les coudes rapprochés.*
3 *Allongez les jambes jusqu'à ce qu'elles soient droites, les pieds à plat sur le sol. Maintenez la posture pendant au moins trois ou quatre respirations profondes, puis rapprochez vos pieds vers le corps. Inspirez, remontez dans la Posture sur les Épaules et déroulez le dos au sol. Une fois que vous êtes capable de tenir la Posture sur les Épaules les mains proches des omoplates, vous pouvez descendre dans le Pont, les deux jambes à la fois.*

Le Poisson

Matsya, le Poisson, fut l'une des incarnations du dieu hindou Vishnu qui avait pris cette forme pour sauver le monde du déluge. Le Poisson, Matsyasana, est la contre-posture de la Posture sur les Épaules et doit toujours être effectuée après celle-ci. Après avoir étiré la nuque et les vertèbres cervicales dans la Posture sur les Épaules, la Charrue et le Pont, vous les comprimez ensuite en arquant le dos, ce qui soulage la raideur dans la nuque et les muscles des épaules et corrige la tendance à arrondir les épaules. En tenant la posture, on fait travailler la poitrine, on tonifie les nerfs du cou et du dos, et on s'assure que les glandes thyroïde et parathyroïde profitent au maximum des effets de la Posture sur les Épaules. On ouvre aussi pleinement la cage thoracique ce qui permet une respiration plus profonde et augmente la capacité des poumons. Vous devez rester dans cette posture au moins la moitié du temps passé dans la Posture sur les Épaules afin d'équilibrer l'étirement.

« Celui qui nage à travers l'océan du temps voit la grâce du Seigneur. »
(Swami Vishnu Devananda.)

1 *Allongez-vous sur le dos, les jambes droites et les pieds ensemble. Posez vos mains, les paumes vers le bas, sous les cuisses.*

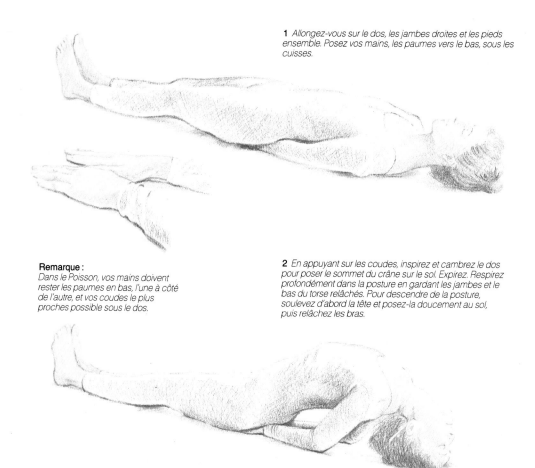

Remarque :
Dans le Poisson, vos mains doivent rester les paumes en bas, l'une à côté de l'autre, et vos coudes le plus proches possible sous le dos.

2 *En appuyant sur les coudes, inspirez et cambrez le dos pour poser le sommet du crâne sur le sol. Expirez. Respirez profondément dans la posture en gardant les jambes et le bas du torse relâchés. Pour descendre de la posture, soulevez d'abord la tête et posez-la doucement au sol, puis relâchez les bras.*

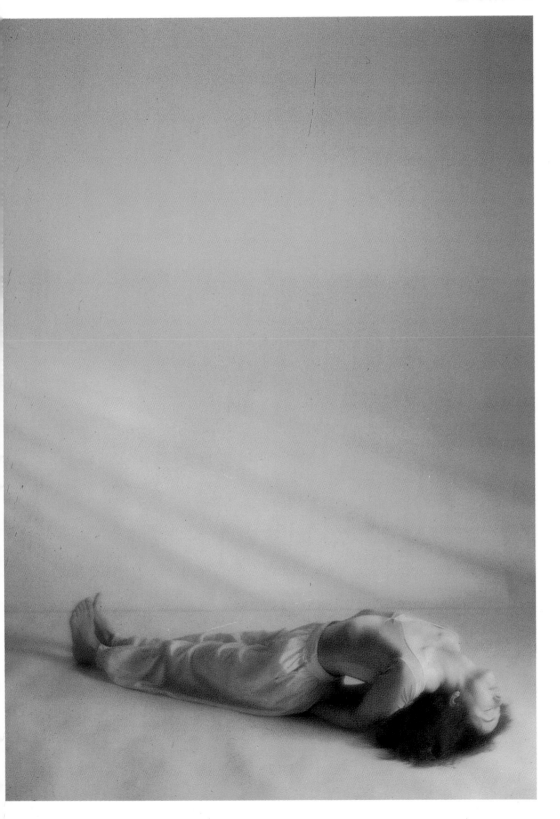

La Flexion Avant

La Flexion Avant ou Paschimothanasana donne l'illusion d'être simple, mais c'est en fait une posture très importante qui demande beaucoup d'efforts. Le mot sanskrit « paschima » signifie « l'ouest », évoquant l'arrière du corps qui est totalement étiré depuis les talons jusqu'au sommet de la colonne vertébrale. La pratique de cet asana tonifie les organes internes, réduit l'embonpoint et stimule le système nerveux tout entier. Avant de tenir la posture, assouplissez le corps : inspirez et remontez à la verticale, puis expirez et redescendez, trois fois. N'essayez pas d'amener votre tête aux genoux car cela courbe le dos. Cherchez plutôt à amener le torse le plus possible en avant tout en gardant les genoux et le dos droits.

« Cet asana, le meilleur de tous, fait circuler la respiration à travers la Sushumna, stimule la digestion, affine la taille et éloigne toutes les maladies. »
(Hatha Yoga Pradipika.)

1 *Depuis la position couchée, les bras tendus derrière vous, inspirez et venez vous asseoir. Pointez les orteils vers le plafond et tirez la peau des fesses vers l'arrière de façon que vous soyez assis directement sur l'os du bassin. Étirez vos bras au-dessus de la tête pour allonger la colonne vertébrale.*

2 *En rentrant l'abdomen, expirez et pliez le corps en avant à partir de la taille en gardant la poitrine et le dos droits. Amenez le menton vers les tibias et la poitrine vers les cuisses. Ne pliez pas à partir du milieu du dos.*

3 *Continuez à descendre et saisissez vos jambes ou vos pieds là où vous le pouvez sans plier vos genoux. Avec la pratique, vous pourrez entourer les gros orteils avec vos index et amener vos coudes vers le sol ou bien étirer vos bras au-delà des pieds comme sur la photo.*

Dans la posture, *respirez profondément et sentez que vous avancez un peu plus à chaque expiration. Au début, maintenez pendant trois ou quatre respirations profondes, puis augmentez progressivement à mesure que vous vous détendez dans la posture. Pour relâcher la posture allez d'abord en avant puis redressez les bras.*

Le Cobra

Dans Bhujangasana, la tête et le torse sont courbés gracieusement, comme un cobra qui relève la tête. La colonne vertébrale subit une puissante flexion arrière, les muscles du dos sont fortifiés et les organes abdominaux sont tonifiés et massés. Cette posture est particulièrement efficace pour soigner les irrégularités et les douleurs des règles et la constipation. Pratiquez cet asana par étapes, comme indiqué ci-dessous, en visualisant le mouvement doux et souple d'un serpent, lorsque vous étirez votre colonne vertébrale vers le haut et l'arrière, vertèbre par vertèbre. Gardez les épaules en bas, les coudes serrés contre le corps et le visage détendu dans la posture. Vous trouverez la posture complète difficile au début, mais, avec le temps, votre colonne deviendra assez souple pour que vos pieds et votre tête se touchent.

« En pratiquant cette posture, la déesse-serpent (la force de la Kundalini) s'éveille. » (Gheranda Samhita.)

1 Allongez-vous sur le ventre, les jambes ensemble, les paumes des mains au sol sous les épaules. Posez le front au sol.

2 En inspirant, soulevez la tête en effleurant le sol, d'abord avec le nez puis avec le menton. Puis soulevez vos mains et utilisez les muscles du dos pour lever la poitrine au maximum. Tenez pendant quelques respirations profondes, puis en expirant retournez doucement à la position 1 en gardant le menton levé jusqu'au dernier moment.

3 Inspirez, levez-vous comme auparavant, mais cette fois-ci utilisez les mains pour pousser le torse vers le haut. Continuez à monter jusqu'à ce que vous courbiez au milieu de la colonne. Tenez pendant 2 ou 3 respirations profondes, puis expirez et descendez lentement.

5 Pour compléter l'asana, avancez vos mains vers votre corps, tendez les bras et soulevez légèrement le bassin ; séparez les jambes, pliez les genoux, et, en ouvrant la poitrine, laissez tomber la tête en arrière et amenez vos pieds à la tête. Respirez normalement puis descendez lentement comme précédemment.

4 Inspirez, soulevez le torse comme précédemment, mais cette fois continuez le mouvement en arrière jusqu'à ce que vous sentiez votre dos se courber sur toute sa longueur depuis la nuque jusqu'aux reins. Respirez normalement.

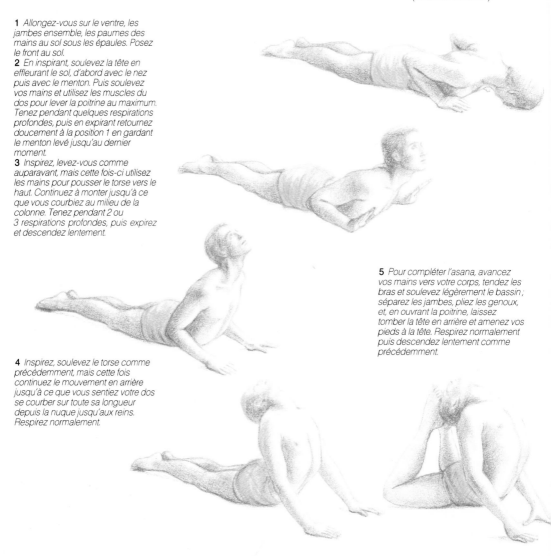

La Sauterelle

La Sauterelle ou Salabhasana est un des rares asanas qui s'effectue avec un mouvement brusque. Ses effets complètent ceux du Cobra, mais alors que le Cobra fait travailler la partie supérieure du corps, la Sauterelle se concentre sur la partie inférieure, renforçant l'abdomen, le bas du dos et les jambes. Comme les autres flexions arrière, elle masse les organes internes, assure un bon fonctionnement du système digestif et prévient la constipation. Au début, vous arriverez seulement à soulever les jambes de quelques centimètres, en fait c'est à ce stade que la posture ressemble le plus à une sauterelle, la queue en l'air. Avec une pratique régulière, vous apprendrez à contracter le bas de votre dos pour pousser les jambes vers le haut et à développer la force nécessaire. Progressivement, vos jambes parviendront au-delà de votre tête, comme sur la photo.

« En vérité, un dos souple vous fait vivre longtemps. » *(Proverbe chinois.)*

1 *Allongé sur le ventre, inspirez et roulez sur le côté. Serrez les poings et placez-les ensemble sous les cuisses. Rapprochez vos coudes au maximum.*

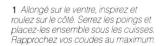

Remarque
Peut-être une position différente des mains vous donnera-t-elle plus de prise : soit les mains arrondies, paumes vers le sol, comme ci-dessus, soit les mains croisées.

4 *Puis prenez trois respirations profondes, et à la troisième inspiration retenez le souffle et levez les deux jambes vers le haut. Tenez la posture en respirant normalement, puis expirez et descendez les jambes de façon contrôlée. Recommencez quand vous aurez repris votre souffle. Lorsque vous pourrez lever vos deux jambes tendues, pliez-les. Avec la pratique, vos pieds viendront toucher votre tête.*

2 *En expirant, roulez sur le ventre : vous êtes couché sur vos bras, la tête repose sur le menton. Prenez quelques respirations normales dans cette position.*

3 *Inspirez et levez votre jambe droite en vous appuyant sur vos mains. Répétez deux fois puis expirez et baissez la jambe. Répétez avec la jambe gauche. Gardez les jambes droites et ne tournez pas vos hanches.*

Sauterelle

Demi-sauterelle

L'Arc

L'Arc ou Dhanurasana élève les deux moitiés du corps en même temps, combinant ainsi les mouvements du Cobra et de la Sauterelle ; il s'oppose à la Charrue et à la Flexion Avant. Comme un archer qui tend un arc, vous utilisez vos mains et vos bras pour lever votre torse et vos jambes en même temps de manière à former une courbe. Cela tonifie les muscles du dos et assouplit la colonne vertébrale, ce qui accroît la vitalité et vous permet de mieux vous tenir. Porter le poids du corps sur l'abdomen réduit la graisse abdominale et maintient le système digestif et reproducteur en bonne santé. Si l'on se balance dans l'Arc Dynamique, on donne aux organes internes un puissant massage. Au début vous trouverez plus facile de lever vos genoux en gardant les jambes séparées ; les élèves plus avancés effectueront l'Arc en essayant de rapprocher les jambes.

« OM est l'arc, la flèche est l'âme,
Brahman est la cible. »
(Swami Vishnu Devananda.)

1 *Allongez-vous sur le ventre, le front au sol. Inspirez, pliez vos genoux, puis avec les mains saisissez vos chevilles. Expirez.*

2 *Inspirez, levez la tête et la poitrine, et simultanément tirez vos chevilles vers le haut en soulevant les genoux et les cuisses du sol. Arquez-vous en arrière et regardez vers le haut. Prenez trois respirations profondes dans cette posture puis expirez et relâchez.*

L'Arc Dynamique

Mettez-vous dans l'Arc puis roulez en avant en expirant et en arrière en inspirant. Gardez la tête immobile. Répétez jusqu'à dix fois, puis détendez-vous dans la Posture de l'Enfant (p. 39) pendant 6 respirations profondes au moins.

La Demi-Torsion Vertébrale

La Torsion Vertébrale, dont le nom sanskrit vient du grand sage Matsyendra, est une des rares postures de la séance de base qui fait tourner la colonne vertébrale. La plupart des postures plient la colonne en avant ou en arrière, mais pour s'assouplir vraiment, celle-ci doit également se tourner latéralement. Ce mouvement tonifie aussi les nerfs spinaux et les ligaments, et améliore la digestion. La Demi-Torsion ou Ardha Matsyendrasana enseignée ici a les mêmes effets que la position complète (p. 134) à laquelle elle prépare. Dans la posture, gardez le dos droit et les épaules au même niveau et respirez régulièrement, vous tournant un peu plus à chaque expiration. Exécutez d'abord la tension sur la gauche comme ci-dessous et ensuite sur la droite.

« Celui qui perçoit la musique de l'âme, joue bien son rôle dans la vie. »
(Swami Sivananda.)

1 *Agenouillez-vous, les jambes jointes, assis sur les talons.*
2 *Puis asseyez-vous à droite de vos pieds, comme ci-dessous.*

3 *Soulevez votre jambe gauche au-dessus de la jambe droite en posant le pied contre l'extérieur du genou droit. Amenez le talon droit près de la hanche ; gardez la colonne étirée.*

4 *Étendez les bras à l'horizontale, au niveau des épaules, et tournez-vous sur la gauche.*

5 *Puis amenez le bras droit contre l'extérieur du genou gauche et attrapez le pied gauche avec la main droite, en plaçant votre main gauche sur le sol derrière vous. A l'expiration, tournez-vous au maximum vers la gauche. Regardez par-dessus votre épaule gauche.*

Le Lotus

Le Lotus symbolise l'évolution spirituelle de l'homme : les racines dans la boue représentent sa nature inférieure, la tige montant à travers l'eau sa recherche intuitive et la fleur s'épanouissant au soleil, la réalisation du Soi. Dans le yoga, le Lotus, ou Padmasana, est la posture classique pour la méditation et le pranayama. Être assis, le dos droit, les jambes repliées formant une base stable, amène le corps à un état de repos. Plus vous restez dans la posture plus le métabolisme se ralentit et le mental s'éclaircit et s'apaise. En gardant la colonne vertébrale droite, le prana circule harmonieusement, augmentant votre pouvoir de concentration. La posture assouplit les chevilles, les genoux et les hanches et fait du bien aux nerfs des jambes. Faites tout d'abord les échauffements pour le Lotus et le Demi-Lotus.

« Le yogi assis en Padmasana, par le contrôle du souffle parvient à la Libération, cela ne fait aucun doute. » *(Hatha Yoga Pradipika.)*

Posture Cheville-Genoux

Échauffements pour le Lotus
Pratiquer ces postures (Bhadrasana) vous préparera pour le Lotus. Asseyez-vous avec la colonne vertébrale droite, les plantes de pied jointes, les talons proches du corps. Pour la posture « cheville-genoux » (à gauche), appuyez sur vos genoux avec les deux mains, le dos droit. Pour le papillon (à droite), saisissez vos pieds et bougez vos genoux de haut en bas.

Papillon

Demi-Lotus

Lotus

Le Lotus
Pour prendre la position du Lotus, commencez par vous asseoir avec les jambes écartées en « V », le dos droit. Pliez un genou et amenez le pied sur l'autre cuisse ; puis ramenez le deuxième pied : si vous le placez sous la cuisse opposée, vous formez le Demi-Lotus : Ardha Padmasana, ce qui est plus

facile au début et peut être utilisé pour la méditation et le pranayama jusqu'à ce que vos jambes soient plus souples. Pour le Lotus complet, vous soulevez la seconde jambe par-dessus la première, en plaçant le pied sur la cuisse opposée. Dans le Lotus classique, la jambe gauche est au-dessus et les genoux touchent le sol.

Le Corbeau

Cet asana imite de façon frappante la position d'un corbeau qui croasse. Le poids du corps est porté par les coudes et les mains, et la tête est bien poussée vers l'avant. C'est une des positions d'équilibre les plus bénéfiques ; le Corbeau ou Kakasana est en fait assez facile à réaliser. Le secret est de vous pencher suffisamment en avant et de porter toute votre attention sur l'équilibre. La pratique du Corbeau fortifiera vos poignets, bras et épaules, améliorera votre concentration et augmentera votre capacité respiratoire en développant la poitrine. (Vous trouverez un grand nombre de postures d'équilibre dans « Asanas et Variations », pp. 100-155.)

« Le yogi se voit dans le cœur de tous les êtres et tous les êtres dans son cœur. »
(Bhagavad Gita.)

1 *Mettez-vous accroupi et amenez vos bras entre vos genoux. Placez les paumes de main à plat sur le sol devant vous, écartées à la largeur des épaules, avec les doigts séparés et pointés légèrement à l'extérieur. Puis pliez les coudes vers l'extérieur en faisant avec l'arrière des bras un appui pour supporter les genoux.*

2 *Choisissez un point de concentration sur le sol devant vous. Inspirez, puis, en retenant le souffle, penchez-vous vers ce point en amenant votre poids sur vos mains et en levant les orteils. Expirez et maintenez pendant trois ou quatre respirations profondes.*

La Posture des Mains aux Pieds

Les effets de la Posture des Mains aux Pieds sont en partie similaires à ceux de la Flexion Avant : Pada Hastasana affine la taille, assouplit la colonne vertébrale et étire les ligaments des jambes. Elle facilite aussi la circulation du sang vers le cerveau. A nouveau comme dans la Flexion Avant, le but de cet asana est de descendre le plus loin possible, les mains et les jambes étirées. Saisir les orteils et amener la tête vers les tibias viendra naturellement quand votre dos s'assouplira davantage. Respirez profondément dans la posture et pliez-vous un peu plus à chaque expiration. Pour rapprocher la poitrine de vos jambes, glissez les mains derrière vous, les paumes contre le sol, comme sur la photo.

« La nature vous façonne constamment à l'image de Dieu. »
(Swami Sivananda.)

1 *Debout, les pieds joints, expirez ; puis inspirez et levez les bras au-dessus de la tête. Tirez la tête vers le haut en vous agrandissant au maximum, pour allonger la colonne.*

2 *Expirez, pliez-vous en avant à partir du bassin en tirant loin devant vous avec les mains. Gardez vos genoux et votre dos le plus droits possible.*

3 *Descendez le plus loin possible et saisissez soit vos chevilles soit vos gros orteils avec le pouce et l'index comme ci-dessus. Tirez la tête vers les tibias et respirez profondément dans la posture. Relâchez lentement en inspirant et en tirant en avant à partir du bassin. Étirez vos bras au-dessus de la tête, puis baissez-les sur le côté.*

Le Triangle

Dans l'art hindou, le triangle est un symbole puissant du principe divin et on le trouve fréquemment dans les yantras et mandalas utilisés pour la méditation. Pointé vers le bas, il représente Shakti, le principe féminin dynamique ; tourné vers le haut, il représente Siva, la force passive mâle. Trikonasana, le Triangle, termine les postures de votre séance de base. Il accroît le mouvement de la Demi-Torsion Vertébrale et donne un excellent étirement latéral à la colonne ; il tonifie les nerfs spinaux et aide au bon fonctionnement du système digestif. Le corps devient plus léger et les autres asanas sont mieux exécutés. Quand vous pratiquez le Triangle, faites attention à garder les deux jambes droites et les hanches bien en face à l'avant et non pas pivotées. Penchez-vous d'abord sur la droite, puis sur la gauche comme ci-dessus. Cherchez à atteindre un équilibre parfait dans ces postures de base et vous aurez alors le contrôle et la concentration nécessaires pour pratiquer des variations plus avancées.

« La joie est éternelle, elle ne mourra jamais ; la peine est illusoire, elle ne vivra jamais. »
(Swami Sivananda.)

1 *Tenez-vous debout, les pieds séparés d'un mètre environ. Tournez le pied gauche vers la gauche et le pied droit légèrement vers la gauche. Étirez votre bras gauche au niveau de l'épaule et levez le bras droit contre l'oreille droite. Puis inspirez.*

2 *A l'expiration, penchez sur la gauche et légèrement en avant pour dégager les côtes. Glissez votre main gauche le long de votre jambe gauche et saisissez-la le plus bas possible. Regardez en haut de votre main droite ; prenez plusieurs respirations profondes dans cette posture avant de la relâcher. Répétez en vous penchant sur la droite.*

Tableaux pour la pratique de base

Ces tableaux vous serviront de référence facile tout au long de la Séance de Base, quel que soit votre niveau. Si vous êtes totalement débutant, commencez par suivre le cours progressif de 20 jours. Ce programme, divisé en 4 périodes de 5 jours, vous prépare doucement à la pratique du yoga. Pendant les 5 premiers jours, concentrez-vous uniquement sur les exercices et asanas indiqués dans la première ligne et passez progressivement aux périodes de 5 jours suivantes. Nous n'avons pas indiqué de temps pour ce cours de base car les besoins de chacun varient. Une fois que vous connaissez bien la suite complète, vous pouvez pratiquer le « cours type » qui vous prendra à peu près une heure et demie. Notez bien

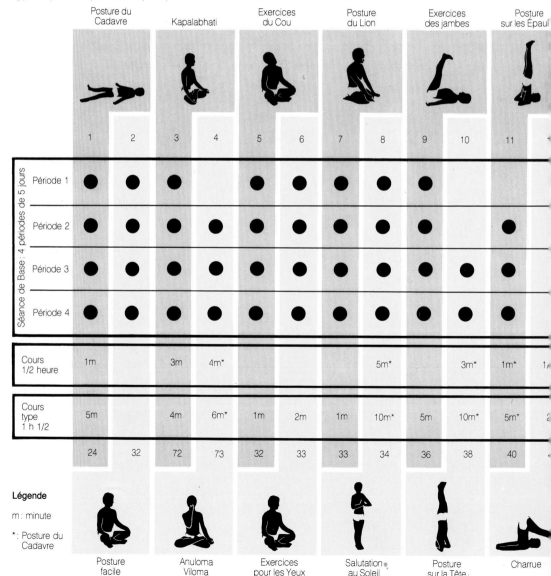

	Posture du Cadavre		Kapalabhati		Exercices du Cou		Posture du Lion		Exercices des jambes		Posture sur les Épaul[es]
	1	2	3	4	5	6	7	8	9	10	11
Période 1	●	●	●		●	●	●	●	●		
Période 2	●	●	●	●	●	●	●	●	●	●	●
Période 3	●	●	●	●	●	●	●	●	●	●	●
Période 4	●	●	●	●	●	●	●	●	●	●	●
Cours 1/2 heure	1m		3m	4m*				5m*		3m*	1m*
Cours type 1 h 1/2	5m		4m	6m*	1m	2m	1m	10m*	5m	10m*	5m*
	24	32	72	73	32	33	33	34	36	38	40

Séance de Base : 4 périodes de 5 jours

Légende

m : minute

* : Posture du Cadavre

Posture facile — Anuloma Viloma — Exercices pour les Yeux — Salutation au Soleil — Posture sur la Tête — Charrue

que les temps qui sont donnés ici indiquent la durée approximative de travail sur une posture et non pas le temps à tenir dans la posture finale. A chaque * sur le tableau, relaxez-vous dans la Posture du Cadavre pendant au moins 6 respirations profondes. Pour les jours où vous n'avez pas le temps de faire une séance complète nous avons ajouté un cours d'une demi-heure. C'est une série de postures d'entretien qui vous maintiendront en forme jusqu'à votre prochaine série complète. Quel que soit le tableau suivi, pratiquez de façon systématique pour faire du yoga une partie de votre vie quotidienne. Comme dit Swami Sivananda : « Un gramme de pratique vaut mieux qu'une tonne de théorie. »

Pont	Flexion Avant		Sauterelle		Demi-Torsion Vertébrale		Corbeau		Triangle		
14	15	16	17	18	19	20	21	22	23	24	
									●		Période 1
●	●	●							●	●	Période 2
●	●	●		●		●		●	●	●	Période 3
●	●	●	●	●	●	●	●	●	●	●	Période 4
1/2m*	1m*	1/2m	1/2m*		1m			1m	1m	5m	Cours 1/2 heure
21/2m*	5m*	2m*	2m*	2 m	2m	1m	1m*	2m	2m	10m	Cours type 1 h 1/2
46	48	50	52	54	56	58	60	62	64	24	
Poisson	Cobra		Arc		Lotus		Mains aux Pieds		Posture du Cadavre		

Séance de Base : 4 périodes de 5 jours

Respiration

« Quand le souffle s'égare,
le mental est instable,
mais quand le souffle est calme,
le mental est calme. »
Hatha Yoga Pradipika

Respirer, c'est vivre. Il est possible de vivre pendant plusieurs jours sans boire ou sans manger, mais privés du souffle nous mourrons en quelques minutes. Il est surprenant de voir que dans la vie nous pensons si peu à notre respiration. Pour un yogi, la respiration a deux fonctions principales : apporter plus d'oxygène au sang et donc au cerveau, et contrôler le prana ou l'énergie vitale (voir p. 70) pour arriver à la maîtrise du mental. Le pranayama, la science du contrôle du souffle, consiste en une série d'exercices visant particulièrement à satisfaire ces besoins et à maintenir le corps en excellente santé.

Il y a trois grands types de respiration : la respiration claviculaire (superficielle), intercostale (moyenne) et abdominale (profonde). La respiration yogique complète combine ces trois phases : une inspiration profonde qui part de l'abdomen et monte progressivement dans les régions intercostales et claviculaires.

La plupart des gens ne savent plus respirer correctement. Ils respirent superficiellement par la bouche et utilisent à peine ou pas du tout le diaphragme ; en inspirant ils soulèvent les épaules ou contractent l'abdomen. De cette manière ils n'absorbent qu'une petite quantité d'oxygène et se servent seulement de la partie supérieure des poumons, ce qui entraîne un manque de vitalité et diminue la résistance à la maladie.

Pour pratiquer le yoga il faut changer ces habitudes. Une respiration correcte s'effectue par le nez, avec la bouche fermée, et comprend une inspiration et une expiration complètes qui font travailler l'ensemble des poumons. A l'expiration, l'abdomen se contracte et le diaphragme monte, massant le cœur ; à l'inspiration l'abdomen se gonfle et le diaphragme descend, massant les organes abdominaux.

De même qu'il y a trois étapes à un asana (p. 29), la respiration se compose également de trois parties dans le pranayama : inspiration, rétention et expiration. L'inspiration est souvent considérée comme le point essentiel de la respiration, mais c'est en fait l'expiration qui en détient la clé, car plus vous expirez d'air impur, plus vous pouvez inspirer d'air frais (voir p. 182). Les exercices de respiration yogique mettent surtout l'accent sur la rétention et l'expiration prolongées ; en effet, dans certains exercices, l'expiration est deux fois plus longue que l'inspiration, et la rétention quatre fois plus longue.

En inspirant par le nez vous chauffez et filtrez l'air. Mais, du point de vue yogique, la principale raison pour laquelle il faut respirer par le nez est le prana. Comme vous devez inspirer par le nez pour ressentir une odeur, il faut également inspirer par le nez pour absorber le maximum de prana, car c'est derrière le nez que se trouvent les organes olfactifs à travers lesquels le prana passe pour atteindre le système nerveux central et le cerveau.

Les exercices respiratoires du yoga vous enseignent comment contrôler le prana et donc contrôler le mental, car les deux sont intimement liés. Quand vous êtes en colère ou quand vous avez peur, votre respiration est superficielle, rapide et irrégulière ; si au contraire vous êtes relaxé ou en profonde réflexion, votre respiration ralentit. Il est facile de vérifier cela : pendant un moment écoutez le son le plus faible dans la pièce. Vous verrez que par la concentration vous avez inconsciemment ralenti, ou même retenu, votre souffle.

Puisque votre état mental se reflète dans votre façon de respirer, il en découle que par le contrôle de la respiration vous pouvez apprendre à contrôler votre état mental. En respirant régulièrement, vous augmentez non seulement la quantité d'oxygène et de prana absorbée, mais vous vous préparez également pour la pratique de la concentration et de la méditation.

Le Prana et le Corps subtil

Le point commun à toutes les pratiques du yoga est la circulation du prana ou énergie vitale. Le prana se trouve dans la matière et dans l'eau, mais il n'est ni la matière ni l'oxygène. C'est une forme subtile d'énergie contenue dans l'air, la nourriture, l'eau et la lumière du soleil, et qui anime toutes les formes de la matière. En pratiquant les asanas et le pranayma, vous absorbez et stockez plus de prana dans le corps, ce qui lui apporte plus de force et de vitalité. En plus du corps physique, les yogis perçoivent l'homme comme ayant deux autres corps : le corps astral et le corps causal. Le prana est le lien essentiel entre le corps astral et le corps physique, mais, comme on peut le voir ci-dessous, il circule surtout dans les nadis du corps astral. Il existe autant comme énergie positive que comme énergie négative, appelée « apana ». L'énergie positive du prana est une impulsion afférente dont la nature est de se déplacer vers le haut, l'apana est efférent et se déplace vers le bas. Quand les deux s'unissent dans le Muladhara chakra, l'énergie de la Kundalini s'éveille.

La Kundalini et les Nadis

Les nadis sont des conduits nerveux dans le corps astral, à travers lesquels circule le prana. Les asanas et le pranayama visent à purifier les nadis, car, s'ils s'obstruent, le prana ne peut circuler librement, et cela entraîne des problèmes de santé. D'après les anciens yogis il y a environ soixante-douze mille nadis ; la Sushumna est la plus importante de tous, et elle correspond dans le corps physique à la moelle épinière. De chaque côté de la Sushumna se trouvent deux autres nadis appelés Ida et Pingala, qui correspondent aux ganglions sympathiques de la colonne vertébrale, comme le montre ci-dessus la coupe d'une vertèbre. La Kundalini est une énergie cosmique à l'état statique ou latent, souvent représentée par un serpent lové sur lui-même. Elle est située dans le Muladhara chakra, et peut être éveillée ou animée par le pranayama et d'autres pratiques yogiques.

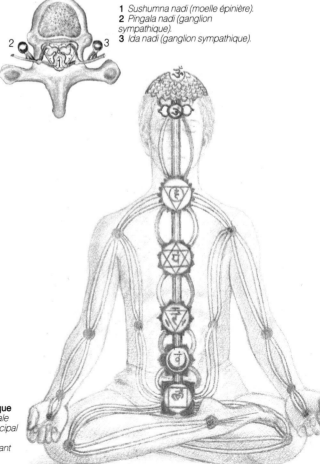

1 *Sushumna nadi (moelle épinière).*
2 *Pingala nadi (ganglion sympathique).*
3 *Ida nadi (ganglion sympathique).*

Le Chemin de l'Énergie Cosmique
Ida et Pingala s'enroulent en spirale autour de Sushumna, le nadi principal du corps astral. En s'éveillant, la Kundalini latente s'élève en passant par les sept chakras.

Les Sept Chakras

Les chakras sont des centres d'énergie dans le corps astral. Six d'entre eux se trouvent le long de la Sushumna et le septième, Sahasrara chakra, au sommet de la tête. Ils sont tous représentés avec un certain nombre de pétales, selon le nombre de nadis qui en émanent. Chaque pétale correspond à une vibration sonore qui se produit quand la Kundalini passe à travers les chakras. De plus, tous les chakras, excepté le Sahasrara, ont leur propre couleur, leur élément et leur bija mantra, comme indiqué à droite, et tous les six correspondent aux plexus nerveux dans le corps physique. A la base de la Sushumna se trouve Muladhara qui correspond au plexus sacré ; c'est là que repose la Kundalini à l'état latent. Puis vient le Swadhisthana qui correspond au plexus pelvien. Manipura, le troisième chakra, correspond au plexus solaire, qui est le réservoir principal du prana. Anahata, au niveau du cœur, correspond au plexus cardiaque, Vishudha, dans la région de la gorge, au plexus laryngé, et Anja chakra, entre les sourcils, au plexus caverneux.

Sahasrara, le septième chakra (le plus élevé), correspond à la glande pinéale du corps physique. A mesure que la Kundalini progresse dans la traversée des chakras, la conscience atteint différents niveaux. Quand elle arrive au Sahasrara, le yogi parvient au Samadhi. Même s'il agit encore sur le plan matériel, il a atteint un niveau d'existence au-delà du temps, de l'espace et de la causalité.

Sahasrara Chakra
Le chakra du sommet aux mille pétales correspond à l'Absolu. Quand la Kundalini atteint ce point, le yogi entre en Samadhi ou supraconscience.

Ajna Chakra
Ce chakra blanc comme la neige a deux pétales ; il est le siège du mental, son mantra est OM.

Vishuddha Chakra
Ce chakra bleu marine a deux pétales ; son élément est l'éther et son mantra est Ham.

Anahata Chakra
Ce chakra à la couleur de la fumée a douze pétales ; son élément est l'air et son mantra est Yam.

Manipura Chakra
Ce chakra rouge a dix pétales ; son élément est le feu et son mantra est Ram.

Swadhisthana Chakra
Ce chakra blanc a deux pétales ; son élément est l'eau et son mantra est Vam.

Muladhara Chakra
Ce chakra jaune a quatre pétales ; son élément est la terre et son mantra est Lam.

Respiration de Base

La respiration yogique ou pranayama revitalise le corps, calme les émotions et amène une grande clarté mentale. Avant d'entreprendre ces exercices, vous devez être sûr d'avoir bien compris la respiration correcte, en utilisant complètement le diaphragme (voir p. 69). Afin de faciliter la circulation du prana et de laisser suffisamment d'espace pour l'expansion des poumons, les exercices respiratoires du yoga se pratiquent en posture assise ; la colonne vertébrale, la nuque et la tête forment une ligne droite, soit dans la Posture Facile (p. 32), dans le Lotus (p. 58) ou, si aucune de ces postures n'est confortable, assis sur une chaise (p. 172). La respiration de base consiste en cinq exercices. Kapalabhati et Anuloma Viloma sont au pranayama ce qu'est la Séance de Base aux asanas, ils devraient former la base de votre pranayama. Au début, pratiquez uniquement ces deux exercices, avant votre série quotidiennne d'asanas. Anuloma Viloma est le meilleur exercice de purification des nadis et prépare ainsi le corps au pranayama avancé. Brahmari, Sitkari et Sithali sont des pranayamas mineurs que vous pouvez inclure quand vous avez le temps pour une séance plus longue.

« Le pranayama est le lien entre les disciplines physiques et mentales. Alors que son action est physique, son effet est de calmer le mental, et de le rendre lucide et stable. »
(Swami Vishnu Devananda.)

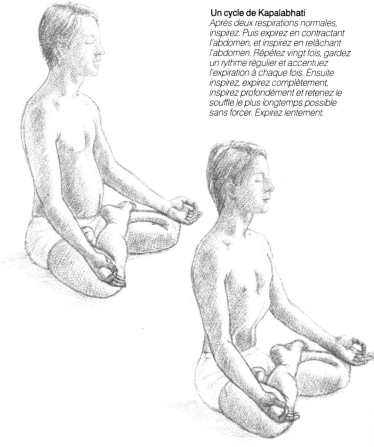

Kapalabhati

Kapalabhati, tout en étant un pranayama, est un des six Kriyas ou pratiques de purification (p. 154). L'expiration forcée vide les poumons de tout air impur et cède la place à une absorption riche en oxygène, ce qui nettoie entièrement le système respiratoire. C'est un exercice merveilleusement vivifiant pour commencer votre pranayama. Traduit littéralement, Kapalabhati signifie exercice du « crâne brillant », et c'est en effet en augmentant la quantité d'oxygène dans le corps qu'il clarifie le mental et améliore la concentration. Il consiste en une série d'expirations et d'inspirations, suivie d'une rétention du souffle. Expirez en contractant l'abdomen de façon saccadée, ce qui élève le diaphragme et vide complètement les poumons ; à l'inspiration vous relâchez les muscles pour permettre aux poumons de se remplir d'air. L'expiration doit être courte, active et perceptible au son ; l'inspiration plus longue, passive et silencieuse. Le mouvement répété du diaphragme tonifie l'estomac, le cœur et le foie. Commencez par trois cycles de vingt aspirations chacun et progressez petit à petit jusqu'à soixante aspirations.

Un cycle de Kapalabhati
Après deux respirations normales, inspirez. Puis expirez en contractant l'abdomen, et inspirez en relâchant l'abdomen. Répétez vingt fois, gardez un rythme régulier et accentuez l'expiration à chaque fois. Ensuite inspirez, expirez complètement, inspirez profondément et retenez le souffle le plus longtemps possible sans forcer. Expirez lentement.

Anuloma Viloma

Dans cet exercice de respiration alternée vous inspirez par une narine, retenez le souffle, puis expirez par l'autre narine dans une proportion de 2:8:4. La narine gauche correspond au nadi appelé Ida, la narine droite à Pingala. Si vous êtes en parfaite santé, vous respirez plus par la narine Ida pendant environ 1 h 50, puis par la narine Pingala. Chez beaucoup de personnes ce rythme naturel est perturbé. Anuloma Viloma établit un rythme régulier en équilibrant le flux de prana dans le corps. Ceci est fondamental pour que le prana atteigne la Sushumna, le nadi central (voir p. 70). Un cycle d'Anuloma Viloma se compose de 6 étapes, expliquées ci-dessous. Commencez la pratique par 10 cycles et allez progressivement jusqu'à 20 en augmentant la durée de chaque phase.

Le Vishnu Mudra
Pour fermer les narines dans Anuloma Viloma, vous pratiquez le Vishnu Mudra avec la main droite. Pliez l'index et le majeur à l'intérieur de la paume (voir ci-dessus) et amenez la main sur le nez. Placez le pouce sur la narine droite, et l'annulaire et le petit doigt sur la narine gauche. Puis procédez comme ci-dessous.

Un cycle d'Anuloma Viloma
1 *Inspirez par la narine en fermant la narine droite avec le pouce.*
2 *Retenez le souffle en fermant les deux narines.*
3 *Expirez par la narine droite en gardant l'annulaire et le petit doigt sur la narine gauche.*
4 *Inspirez par la narine droite en laissant la narine gauche fermée.*
5 *Retenez le souffle en fermant les deux narines.*
6 *Expirez par la narine gauche en laissant le pouce sur la narine droite.*

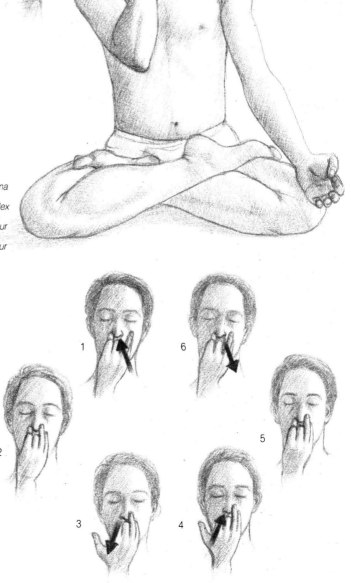

Brahmari

Pour pratiquer Brahmari, vous inspirez par les deux narines tout en fermant partiellement la glotte, ce qui produit un son rauque. Puis inspirez lentement en imitant le bourdonnement d'une abeille. L'inspiration purifie la région de la gorge et la fait vibrer. Le bourdonnement prolonge l'expiration, ce qui rend cet exercice particulièrement bénéfique pour les femmes enceintes, en préparation à l'accouchement. Appelé aussi le « souffle bourdonnant », Brahmari rend la voix douce et claire et sera très utile aux chanteurs. Répétez Brahmari cinq à six fois.

Sitkari

Sitkari et Sithali (ci-dessous) se différencient de la respiration yogique habituelle du fait que l'inspiration s'effectue par la bouche et non par le nez. Dans Sitkari vous pressez la pointe de la langue contre l'arrière du palais, en inspirant lentement par la bouche, ce qui produit un sifflement. Après une rétention maximale, expirez lentement par le nez. Répétez cinq à dix fois. Traditionnellement on dit que Sitkari embellit. Le Hatha Yoga Pradipika le décrit ainsi : « Par cette pratique on se rapproche de la beauté du Dieu de l'Amour. » Sitkari, aussi bien que Sithali, refroidit le corps et soulage la faim et la soif. Ils sont par conséquent encore plus utiles quand il fait chaud ou lors d'un jeûne.

Sithali

Sortez un peu la langue et enroulez-la vers le milieu, comme le montre l'illustration ; par cette « paille » vous aspirez l'air. Retenez le souffle avec la bouche fermée, puis expirez lentement par le nez. Si au début vous n'arrivez pas à enrouler la langue, vous pouvez tout simplement l'étirer un peu et aspirer l'air qui passe à sa surface. Répétez cinq à dix fois.

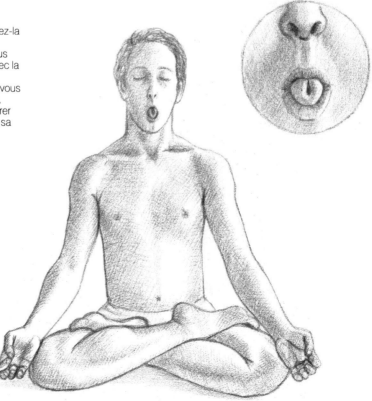

Respiration Avancée

Une fois que vous avez pratiqué Kapalabhati et Anuloma Viloma pendant quelques mois et que vous pouvez les réaliser facilement et sans effort, vous envisagerez d'ajouter à votre séance de pranayama ces exercices plus avancés. Mais d'abord vous devriez être sûr d'être prêt. Les pranayamas avancés décrits ici ne peuvent être pris à la légère ; ce sont des instruments puissants pour contrôler la circulation du prana et éveiller l'énergie latente de la Kundalini. Avant de les aborder, vous devez être sérieusement fortifié et purifié, physiquement et spirituellement : pratiquez quotidiennement pendant plusieurs mois les asanas, le pranayama et la méditation ; ayez une alimentation complète et végétarienne. Continuez à pratiquer en plus de ces exercices avancés au moins vingt cycles d'Anuloma Viloma par jour.

Les Trois Bandhas

Les Bandhas ou « verrous » sont des postures spécialement destinées à conserver et utiliser les immenses réserves d'énergie qui sont produites par les exercices de Respiration Avancée. Non seulement ils empêchent le prana de se disperser, mais ils vous permettent également de régler son flux et de le transformer en énergie spirituelle. Vous devriez d'abord les pratiquer séparément pendant quelques jours avant de les intégrer au pranayama. Jalandhara et Moola Bandha sont utilisés simultanément pendant la rétention pour unir le prana et l'apana (voir p. 70) ; Uddiyana se pratique après l'expiration afin de pousser pranapana dans le Sushumna nadi et d'éveiller la Kundalini.

Jalandhara Bandha
En retenant le souffle, pressez fortement le menton contre la poitrine (comme dans la Posture sur les Épaules). Cela empêche le prana de s'échapper du haut du corps. A l'expiration veillez à bien relâcher ce bandha et à redresser la tête.

Uddiyana Bandha
Après une expiration complète, tirez l'abdomen vers le haut et en arrière vers la colonne vertébrale. Cela force le prana à s'élever dans le Sushumna nadi.

Moola Bandha
En retenant le souffle, contractez le sphincter anal, puis les muscles abdominaux. Cela empêche la fuite de l'apana de la partie inférieure du corps et le dirige vers le haut pour l'unir au prana.

Ujjayi

Ujjayi tonifie les systèmes nerveux et digestif et élimine le flegme. D'après les anciens textes yogiques, la maladie est due à un excès de flegme, de vent ou de bile. Ujjayi et Surya Bheda sont tous deux des pranayamas qui réchauffent le corps ; ils limitent l'expiration à la narine gauche (côté refroidissant) qui correspond à Ida nadi. Pour pratiquer Ujjayi, inspirez profondément par les deux narines en fermant légèrement la glotte (moins qu'en Brahmari, p. 74). L'air est aspiré vers l'arrière du nez et fait vibrer les cordes vocales. Retenez le souffle et pratiquez Jalandhara et Moola Bandha. Ensuite relâchez les deux verrous, fermez la narine droite avec le pouce droit et expirez par la narine gauche. Commencez par une pratique de cinq cycles par séance et augmentez progressivement jusqu'à vingt.

Surya Bedha

Dans Surya Bedha vous inspirez lentement par la narine droite en fermant la narine gauche avec l'annulaire et l'auriculaire de la main droite. Fermez les deux narines, retenez le souffle et pressez le menton fermement contre la poitrine en Jalandhara Bandha ; ensuite gardez votre narine droite fermée avec le pouce et expirez par la narine gauche. Augmentez progressivement la période de rétention. Surya signifie soleil et correspond à la narine droite, le chemin de Pingala nadi. En inspirant uniquement par la narine droite, vous créez de la chaleur dans le corps et dispersez les impuretés qui diminuent le flux de prana. Répétez Surya Badha dix fois au début, puis augmentez progressivement jusqu'à quarante.

Bhastrika

C'est le plus puissant de tous les exercices d'éveil de la Kundalini. Bhastrika (qui signifie « soufflet ») consiste, comme le Kapalabhati, en une série de pompes suivie d'une rétention. Mais il y a des différences importantes entre les deux : ici vous pompez les poumons plus rapidement et avec plus de force en utilisant tous les muscles respiratoires ; fermez les deux narines, retenez le souffle et pratiquez Jalandhara et Moola Bandha. Ensuite expirez uniquement par la narine droite, car dans cet exercice le corps est réchauffé, puis refroidi par la transpiration. Pratiquez ensuite Uddiyana Bandha. Bhastrika est le meilleur pranayama pour les systèmes nerveux et circulatoire, et il concentre et clarifie le mental. Commencez par trois cycles de 10 pompes et augmentez progressivement à 100 pompes et un maximum de 8 cycles.

Samanu

Samanu est une pratique avancée de purification des nadis qui combine le pranayama, la visualisation de chakras et le japa (p. 98) des bija mantras de l'air, du feu et de la terre.

1 Concentrez-vous sur l'Anahata chakra, répétez mentalement « yam » 8 fois en inspirant par la narine gauche, répétez 32 fois en retenant le souffle et 16 fois en expirant par la narine droite.

2 Concentrez-vous sur le Manipura chakra, répétez mentalement « ram », suivant les mêmes proportions, mais en inspirant par la narine droite et en expirant par la narine gauche.

3 Procédez comme en 1, mais concentrez-vous sur le centre lunaire au bout du nez et répétez « tam ». En retenant le souffle, imaginez que le nectar de la lune se répand dans le corps entier. Expirez lentement, concentre-vous sur le Muladhara chakra et répétez « lam ».

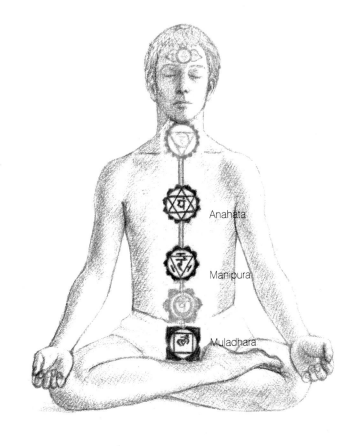

Anahata

Manipura

Muladhara

La Pratique des Bandhas (gauche)
Dans Bhastrika (ci-dessus) vous appliquez tous les bandhas pour unir le prana et l'apana et éveiller la Kundalini latente.

Alimentation

« Le yogi doit manger modérément
et frugalement. Sinon, aussi
habile qu'il soit, il ne pourra
parvenir au succès. »
(Siva Samhita.)

Nous sommes ce que nous mangeons. Cette affirmation est vraie à plus d'un sens. Manger est bien sûr nécessaire à notre bien-être physique, mais cela a également un effet subtil sur notre mental car l'essence de la nourriture forme le mental. Une alimentation naturelle, pure ou « satt-vique », se base sur des aliments frais, légers, nutritifs, tels que les fruits, les céréales et les légumes. Ainsi le corps reste mince et souple et le mental clair et éveillé, apte à la pratique du yoga. Une alimentation pure et modérée, riche en prana, est la meilleure garantie d'une bonne santé physique et mentale, apportant harmonie et vitalité au corps aussi bien qu'au mental.

Dans ce chapitre nous expliquons pourquoi adopter le régime yogique et nous donnons également des conseils pour une alimentation plus saine et équilibrée.

Le mode d'alimentation yogique est simplement le plus naturel ; le soleil, l'air, le sol et l'eau s'associent pour produire les fruits de la terre : légumes, fruits, légumineuses, noix et graines. Nous puisons directement dans ces aliments les éléments nutritifs ; en revanche la viande, le poisson et la volaille nous donnent des éléments déjà utilisés : nous consommons la chair d'animaux qui ont eux-mêmes transformé l'énergie naturelle tirée de différents végétaux (il est intéressant de remarquer que nous mangeons uniquement des animaux herbivores : vaches, moutons, chèvres, et exceptionnellement des animaux carnivores, comme les chiens...). La chair animale contient une proportion élevée de toxines (80 % des intoxications alimentaires sont dues à la viande et à ses sous-produits) et est souvent la cause de maladies. Elle manque aussi de vitamines et de minéraux et contient plus de protéines que nous n'en avons besoin. En mangeant de la viande, nous obligeons notre corps à s'adapter à une nourriture anti-naturelle à laquelle il n'est pas adapté. Nos dents, nos

intestins sont très différents de ceux des animaux carnivores ; en fait l'anatomie et la physiologie des frugivores est la plus proche de la nôtre.

Mais à part ces considérations fondamentales sur la santé et le bien-être naturel, manger de la viande est inutile et conduit au gaspillage : il faut donner au bétail plusieurs kilos de céréales pour produire un kilo de viande. La nourriture « gas-pillée » sert à alimenter l'animal en énergie. Le bétail n'est pas efficace pour transformer les protéines : un hectare de plantations céréalières produit cinq fois plus de protéines qu'un hectare consacré à l'élevage des animaux pour la consommation humaine. Quant aux légumineuses et aux légumes à feuilles, les chiffres (multipliés par 10 et par 15) sont encore plus frappants. Certains légumes ont un rendement encore meilleur.

En mettant au point un régime naturel, nous devons également nous demander si nous pouvons consommer en bonne conscience la chair d'une créature vivante, abattue souvent dans les conditions les plus barbares. Dans ce monde dit « civilisé », nous ne réagissons plus aux horreurs de l'industrie de la viande : devant les morceaux de viande ou de poisson bien em-ballés, nous ne faisons plus le lien entre le produit et l'animal qui a été tué inutilement pour nous. Ahimsa, le respect de toutes les créatures, est une des lois les plus élevées dans la philosophie du yoga et ne peut pas être négligée si nous voulons évoluer spirituellement. Pour le yogi toute vie est sacrée : toute créature est une entité vivante avec un cœur et des émotions, une respiration et des sensations, et envisager de manger de la viande ou du poisson est pratiquement impossible. Quand vous aurez pris conscience de l'origine de votre nourriture et des effets qu'elle a sur vous, votre mental s'ouvrira progressivement et vous comprendrez que toutes les créatures sont aussi divines que vous-même.

Les Trois Gunas

Dans l'univers non manifesté, l'énergie possède trois qualités appelées « Gunas » qui coexistent en équilibre : Sattva : la pureté, Rajas : l'activité, la passion, le changement, et Tamas : l'obscurité, l'inertie. Quand l'énergie prend forme, une des trois qualités prédomine (voir p. 18). Ainsi, sur un pommier, certains fruits sont mûrs (sattviques), certains mûrissent (rajasiques) et d'autres sont trop mûrs (tamasiques). Mais quelle que soit la qualité prédominante, un élément de chacune des deux autres sera toujours présent : dans une pomme, nous observons trois parties : la plus importante est mûre, la deuxième est pourrie même si on ne le voit pas à l'œil nu et la troisième est en train de passer d'un état à l'autre. Les trois Gunas se retrouvent dans tout être et toute action. Si un homme commet un vol, l'action en elle-même est rajasique, mais la décision de voler et son motif peuvent être plutôt tamasiques, rajasiques ou sattviques, selon la situation. Dans chaque homme l'une des trois Gunas a une force supérieure et se reflète dans toutes ses actions et pensées. C'est seulement dans l'état d'illumination que les Gunas sont complètement transcendées.

Au-delà des trois Gunas *(droite)*
Seul le Soi illuminé, l'état de conscience du Samadhi, transcende les trois Gunas. Dans cette gravure, tous les autres éléments, le corps et le mental de l'homme, l'arbre et les marches sont assujettis aux Gunas.

Aliments Sattviques

C'est l'alimentation la plus pure qui convient à tout adepte du yoga. Elle nourrit le corps et le maintient dans un état paisible. De même, elle calme et purifie le mental et lui permet de fonctionner à son potentiel maximal. Un régime sattvique amène aussi la santé véritable : un mental paisible qui contrôle un corps sain, reliés par une circulation d'énergie équilibrée. La nourriture sattvique comprend : céréales, pain complet, fruits et légumes frais, jus de fruits naturels, lait, beurre et fromages, légumineuses, noix, graines et graines germées, miel, tisanes.

Aliments Rajasiques

Les aliments épicés, amers, acides, séchés ou salés sont rajasiques. Ils détruisent l'équilibre corps-mental, nourrissant le corps au détriment du mental. Trop d'aliments rajasiques stimulent exagérément le corps et excitent les passions, ce qui rend le mental agité et incontrôlable. Les aliments rajasiques comprennent les substances piquantes comme les épices, les herbes fortes, les stimulants tels que le café, le thé, le poisson, les œufs, le sel et le chocolat. Manger trop vite est également considéré comme rajasique.

Aliments Tamasiques

Une alimentation tamasique n'est bonne ni pour le corps, ni pour le mental : le prana ou énergie disparaît, les capacités intellectuelles s'affaiblissent et un état d'inertie s'installe. La résistance du corps à la maladie est détruite et le mental se remplit d'émotions négatives telles la colère et l'avidité. Les aliments tamasiques comprennent la viande, l'alcool, le tabac, les oignons, l'ail, les aliments fermentés comme le vinaigre et les substances trop mûres ou rassies. Trop manger est également considéré comme tamasique.

Aliments naturels

Encore récemment, la plupart des mangeurs de viande regardaient les végétariens avec méfiance, les jugeant comme des excentriques ou des maniaques de la nourriture, suivant un régime peu appétissant composé de riz complet et de pâté végétal. A présent nous sommes mieux informés, mais l'alimentation végétarienne est souvent jugée fade, peu appétissante et manquant d'éléments nutritifs. Les faits prouvent exactement le contraire, et si certains doivent se défendre de cette accusation, ce sont les mangeurs de viande. On dispose de nombreuses preuves médicales selon lesquelles un régime végétarien équilibré est tout à fait sain et apporte au corps toutes les protéines, minéraux, etc., dont il a besoin. Statistiquement, les végétariens ont moins d'attaques cardiaques, de congestions cérébrales, de maladies rénales et de cancers.

La question des protéines

L'une des principales objections des mangeurs de viande contre le régime végétarien est la crainte d'une déficience en protéines. Et pourtant... ceux qui mangent de la viande trouvent dans leurs aliments des protéines de moins bonne qualité, des protéines mortes ou en train de mourir. Nous sommes nous-mêmes des animaux et pouvons trouver nos protéines dans le milieu végétal, comme les autres animaux herbivores. Les protéines animales renferment trop d'acide urique pour être assimilées par le foie ; certaines sont éliminées mais les autres se déposent dans les articulations, et entraînent des raideurs et finalement des problèmes comme l'arthrite. Les noix, les produits laitiers, les algues alimentaires et les légumineuses — surtout le soja et ses dérivés comme le tofu et le lait de soja — donnent des protéines de haute qualité. Les Occidentaux sont obsédés par les protéines, ils croient que leurs besoins sont bien supérieurs à ce qu'ils sont en réalité. En fait les différentes sciences ne s'accordent pas quant aux besoins quotidiens en protéines. L'Organisation mondiale de la Santé estime aujourd'hui qu'un apport journalier de 25 à 50 grammes est suffisant pour nourrir et reconstituer les tissus du corps.

Les aliments complémentaires

La qualité des protéines que nous consommons est plus importante que leur quantité. Les protéines sont constituées d'acides aminés, dont certains peuvent être synthétisés par le corps. Mais les autres doivent être contenus dans nos aliments. La clé d'une teneur équilibrée en acides aminés est la combinaison des aliments complémentaires. Pour tirer la valeur maximale des aliments, un végétarien doit composer des repas de protéines complètes. Voici quelques combinaisons de base : céréales (pain complet, riz) avec légumineuses (haricots, petits pois et lentilles) ; céréales avec produits laitiers ; graines de sésame ou de tournesol avec légumineuses. Trois repas très simples peuvent illustrer ce principe : céréales et lait, pain et fromage, riz et haricots. Les repas ainsi constitués apporteront au corps toutes les protéines dont il a besoin. Ils sont également appétissants, demandent peu de préparation et permettent une cuisine créative avec une infinie variété de menus. Ainsi retire-t-on le meilleur de ces aliments frais et naturels.

Graisses et fibres

Un régime végétarien est aussi plein de fibres et riche en graisses non saturées. Le manque de fibres végétales, que l'on trouve dans les aliments végétaux non raffinés, amène des troubles intestinaux. Des recherches menées en Angleterre montrent que les végétariens consomment deux fois plus de fibres que ceux qui mangent de la viande. Ils consomment aussi moins de graisse ; et les graisses qu'ils mangent sont souvent insaturées, alors que les graisses animales saturées élèvent le taux de cholestérol dans le sang.

Les Repas de Protéines Complètes
Les repas végétariens simples, bien équilibrés en protéines, comprennent du pain complet et du fromage, ou des légumineuses cuites ou en salade, et des céréales avec du lait.

Leur résistance à la maladie est meilleure ; ils sont moins sujets à l'obésité que les mangeurs de viande. Les variétés de fruits, légumes, légumineuses, noix, graines et céréales sont très abondantes ; ces aliments peuvent être préparés de multiples façons et offrent une gamme très variée de goûts et de consistances. Pour garder un corps sain, votre alimentation devrait se composer d'eau et de chacun des éléments indiqués dans le tableau ci-dessous.

Les hydrates de carbone et les graisses sont les aliments énergétiques, les protéines, les vitamines et les minéraux sont les éléments essentiels de constitution du corps. Les quantités nécessaires varient selon les individus. Les personnes actives, par exemple, ont besoin de plus de graisses et d'hydrates de carbone, les enfants et les femmes enceintes de plus de protéines et de calcium.

Tableau de Valeur des Aliments
L'analyse de quelques aliments courants met en évidence des différences de valeur parfois surprenantes. Par exemple, les noix et les fromages sont très riches en protéines ; le pain en minéraux.

Légende
Na	Sodium
K	Potassium
Ca	Calcium
Mg	Magnésium
P	Phosphore
S	Sulfure
Cl	Chloride

Aliments (100 g)	Protéines (g)	Hydrates de carbone (g)	Graisse (g)	Minéraux (à partir de 10 mg)	Vitamines (à partir de 10 mg)
Pomme	0,3	11,9	—	K	A
Banane	0,7	11,4	0,2	K Mg P Cl	B
Orange	0,6	6,2	—	K Ca Mg P	A, C
Chou cru	1,9	3,8	—	K Ca Mg P	B, C
Pomme de terre, cuite	2,6	25,0	0,1	K Mg P S Cl	B, C
Tomate	0,9	2,8	—	K Mg P S Cl	A, B, C
Lentille	7,6	17,0	0,5	Na K Ca Mg P S -	B
Petit pois	5,8	10,6	0,4	K Ca Mg P S Cl	A, B, C
Pain complet	0,7	41,8	2,7	Na K Ca Mg P S Cl	B
Pâtes	4,2	26,0	0,3	K Mg P S Cl	—
Riz	2,2	29,6	0,3	K P S	B
Beurre	0,4	—	82,0	Na K Ca P Cl	A
Fromage	26,0	—	33,5	Na K Ca Mg P S Cl	A
Lait entier	3,3	4,7	3,8	Na K Ca Mg P S Cl	—
Yaourt nature	5,0	6,2	1,0	Na K Ca Mg P Cl	—
Noix (amande)	16,9	4,3	53,5	K Ca Mg P S	A, B
Margarine végétale	0,1	0,1	81,0	Na P S Cl	—
Miel	0,4	76,4	—	Na K P Cl	—

Changer d'Alimentation

Devenir végétarien est un pas en avant. Vous ne décidez pas seulement de ne plus manger de viande, vous vous ouvrez à un autre mode de vie. Pour certains, le changement est facile. Pour d'autres, cela prendre plus de temps. Il vaut mieux modifier progressivement votre régime plutôt que brutalement : éliminez doucement la viande et le poisson pour les remplacer par des aliments végétariens bien équilibrés. Votre envie de manger de la viande disparaîtra bientôt ; le changement sera plus facile si vous consacrez un peu de temps à l'étude de cette question : informez-vous sur la manière d'équilibrer votre alimentation ainsi que sur les inconvénients et les risques à manger de la viande. Une fois que vous aurez accepté l'idée du végétarisme, le changement s'effectuera plus facilement. Toute personne vraiment engagée dans le yoga devrait éliminer non seulement viande et poisson, mais aussi les œufs, l'alcool, le tabac, le café, le thé et autres drogues. Les gens pensent parfois qu'il leur sera difficile de manger à l'extérieur s'ils deviennent végétariens. Mais ces dernières années de nombreux restaurants végétariens ont ouvert leurs portes, et même dans les restaurants traditionnels, vous trouverez toujours quelque chose de bon. Avec une alimentation pure, vous ferez vos asanas plus facilement car moins vous mangerez de viande, moins votre corps sera raide. Un régime sattvique vous incitera à pratiquer le yoga et la pratique régulière des asanas, du pranayama et de la méditation fera changer votre état de conscience, si bien que les aliments rajasiques ou tamasiques ne vous attireront plus.

« Je vous ai donné toutes les herbes portant semence... et tous les arbres dont le fruit porte semence, ce sera votre nourriture. »
(Genèse 1,29.)

Voici quelques conseils pour faciliter le changement :
1. Veillez à avoir un apport régulier de bonnes protéines :
noix, légumineuses, céréales complètes et fromage.
2. Mangez chaque jour de la salade ou des légumes crus
(râpés ou entiers) afin de varier les préparations.
3. Mangez beaucoup de légumes verts à feuilles.
4. Faites cuire vos légumes le plus vite possible pour préserver
leurs propriétés : cuisson à la vapeur ou dans peu d'huile.
5. Mangez chaque jour des fruits frais. Si vous les faites cuire,
faites-le rapidement : la cuisson longue et lente détruit
beaucoup de vitamines.
6. Veillez à ce que les aliments que vous mangez soient frais
et complets : les noix desséchées, les fruits ridés ou pourris,
les légumes mous deviennent tamasiques et perdent
beaucoup de leur valeur nutritive.
7. Évitez les aliments dénaturés tels que la farine blanche,
le pain blanc, les gâteaux, les céréales raffinées, les fruits,
légumes et boissons en conserve, ainsi que les graisses
saturées comme les huiles hydrogénées.
8. Préparez seulement la quantité que vous allez manger
et pas plus. Réchauffer des aliments tue une grande part
de leur valeur nutritive.
9. Soyez créatifs et faites des menus variés en introduisant
de nouveaux ingrédients.
10. Apprenez à remplacer les aliments rajasiques et tamasiques
par des aliments sattviques : par exemple, les œufs par le tofu,
le sucre par le miel, le thé par les tisanes.

« La pureté de l'alimentation engendre
la purification de la nature intérieure. »
(Swami Sivananda.)

Le Jeûne

Le jeûne est pratiqué depuis très longtemps comme moyen de purification et d'autodiscipline. Les anciens Indiens d'Amérique jeûnaient pour voir le Grand Esprit. Le Christ a jeûné pendant quarante jours et quarante nuits dans le désert. Moïse a jeûné au mont Sinaï. Les yogis jeûnent avant tout pour contrôler le mental et les sens, mais également pour purifier et rajeunir le corps. En fait, le jeûne est le moyen naturel pour le corps de réagir à la maladie ou à la douleur : les animaux sauvages ne mangent pas lorsqu'ils sont blessés ou souffrants et nous-mêmes perdons notre appétit lorsque nous avons de la fièvre. Dans la vie courante, une grande partie de notre énergie est consacrée au processus de la digestion. Le repos du système digestif libère cette énergie pour le développement spirituel et l'autoguérison, ce qui permet au corps de se débarrasser de ses toxines. Le jeûne ne doit en aucun cas être confondu avec le régime amaigrissant : son but est de purifier le corps et non de faire perdre du poids ; en fait, certains prennent du poids après un jeûne.

Comment jeûner

Tout d'abord, vous devez décider quand et pour combien de temps vous voulez jeûner. Choisissez un moment où vous n'êtes pas trop occupé et où vous ne prenez pas de médicaments, le jeûne étant en lui-même une forme de soin. Jeûner un jour par semaine est une bonne discipline pour fortifier votre volonté, mais il vous faudra plus de temps si vous voulez désintoxiquer votre organisme. Vous pouvez jeûner quatre jours sans être suivi par un médecin mais pas davantage. Décidez quel type de jeûne vous allez faire : jeûne à l'eau, au jus de fruits ou de légumes, et tenez-vous-y rigoureusement. Pour un jeûne à l'eau, buvez 5 à 7 verres d'eau pure par joir, buvez-les doucement pour absorber le prana. Pour un jeûne à base de jus, buvez la même quantité mais « mâchez » le jus au lieu de simplement l'avaler. Les lavements et les kriyas accéléreront le processus de nettoyage surtout au début du jeûne. Les lavements ou Basti (p. 155) éliminent les déchets de l'intestin et Kunjar kryia est utile le premier jour du jeûne pour vous débarrasser des impuretés à la base de l'estomac : buvez quatre verres d'eau tiède avec une cuillère de sel dans chacun. Puis contractez votre abdomen et mettez deux doigts dans la gorge pour faire sortir toute l'eau.

Les trois premiers jours de jeûne sont les plus difficiles. A mesure que le corps s'efforce de se débarrasser de ses impuretés, vous ressentirez peut-être les effets suivants : migraine, langue chargée, mauvaise haleine, nausées. Si vous avez des palpitations, prenez un jus de fruits si vous faites un jeûne à l'eau, des fruits si vous faites un jeûne au jus. Des difficultés de respiration apparaissent parfois mais seront rapidement dominées par le pranayama. Si les palpitations ou les problèmes respiratoires persistent, rompez lentement le jeûne. Le jeûne ralentit la circulation, couvrez-vous donc plus que d'habitude ; vous pourrez ressentir de légers vertiges si vous bougez un peu brusquement. Pendant un jeûne, beaucoup d'impuretés sont éliminées par la peau, aussi ne mettez ni maquillage ni déodorant pour ne pas bloquer les pores. Vous

Rompre le Jeûne

Le plus difficile dans le jeûne est peut-être de le rompre raisonnablement, parce que dès que vous goûtez de la nourriture, votre mental vous incitera à manger de plus en plus. Mais, de même que, au réveil, vous n'aimez pas être assailli de problèmes, après le jeûne, vous devez réhabituer progressivement votre corps à la nourriture, en choisissant les premiers aliments avec précaution. Pour être sûr que vous n'êtes pas trop indulgent au début, rompez le jeûne le soir et ne mangez pas jusqu'à ce que vous ayez complètement digéré. Les végétariens pourront manger environ une livre de fruits frais : raisins (sans pépins), cerises ou autres fruits juteux mais ni bananes, ni pommes, ni agrumes. Ceux pour qui le jeûne a été plus restrictif (ceux qui mangent de la viande) pourront prendre une livre d'épinards ou de tomates à la vapeur. Donc pour un jeûne de deux jours procédez comme suit :

Le premier jour : seulement fruits frais (comme ci-dessus) et une cuillère de yaourt naturel pour faciliter la digestion.
Le deuxième jour : seulement des salades.
Le troisième jour : légumes à la vapeur avec céréales légères, telles que sarrazin ou millet.
Le quatrième jour : revenez progressivement à l'alimentation normale.

Si vous avez jeûné quatre jours, multipliez par deux les indications ci-dessus : deux jours de fruits frais, etc. Le café, le thé, l'alcool, les assaisonnements devraient être évités lorsqu'on arrête le jeûne. On pourra faire un lavement le premier et le troisième jour. Essayez de vous tenir à ce régime afin de ne pas surcharger l'organisme. Comme l'a dit George Shaw : « N'importe qui peut pratiquer le jeûne, mais il faut être un sage pour le rompre correctement. »

devriez apprendre à conserver votre énergie pendant le jeûne : faites une marche calme chaque jour mais évitez les exercices violents comme le jogging. Pratiquez au moins une série d'asanas et de pranayama chaque jour pour déclencher et accélérer l'élimination des toxines accumulées dans le corps. Consacrez un moment à la méditation : votre mental sera beaucoup plus stable pendant un jeûne. Après quelques jours, vous n'éprouverez plus de sensation de faim et vous commencerez à observer des effets bénéfiques : un odorat plus fin, par exemple, une plus grande énergie et concentration mentale. Ne pas manger vous donnera l'occasion de consacrer plus de temps à votre développement spirituel et de sentir jusqu'où vous pouvez contrôler votre manière de penser, de vous comporter, de manger, etc. Afin de ne pas perdre ce que vous avez gagné, il est très important de rompre le jeûne avec méthode et sagesse, comme décrit ci-contre.

La Voie du Milieu

Shakyamuni a vécu longtemps comme un ascète, marchant sans eau ni nourriture jusqu'à ce qu'il n'eût plus que la peau et les os. Finalement, fatigué de ces austérités, il mangea et s'assit sous un arbre pippal, jurant de ne plus bouger jusqu'à ce qu'il ait atteint l'Illumination. Toute la nuit, il fut tourmenté par des démons, mais au matin, il réalisa son but et atteignit le Nirvana. Comme Bouddha, il partit enseigner « la Voie du Milieu », entre les extrêmes de l'indulgence et de la mortification.

Bouddha jeûnant en méditation
Cette sculpture du XIXᵉ siècle provient de l'Inde du Nord.

L'Illuminé
Une fameuse représentation du Bouddha, du Vᵉ siècle, provenant de Sarnath, Inde.

Méditation

*« La méditation est un courant continu
de perception ou de pensée,
comme le courant de l'eau dans une rivière. »
(Swami Vishnu Devananda.)*

Consciemment ou inconsciemment, nous cherchons tous la paix mentale qu'apporte la méditation. Chacun de nous a sa manière de chercher cette paix, ses propres habitudes de méditation, de la vieille dame assise à tricoter au coin du feu au pêcheur qui reste un bel après-midi au bord de l'eau, oubliant le temps qui passe. En effet, quand notre attention est complètement absorbée, le mental devient silencieux ; quand nous parvenons à concentrer nos pensées sur un seul objet, le bavardage incessant du mental prend fin. Et la satisfaction que nous éprouvons quand notre mental est absorbé provient, en fin de compte, moins de l'activité elle-même que du fait qu'en nous concentrant nous oublions tous nos soucis.

Mais ces activités ne nous apportent qu'un intermède de paix passager qui ne dure que le temps de notre totale concentration. Lorsque le mental est à nouveau distrait, il reprend ses habitudes de pensées désordonnées, gaspillant son énergie en pensant au passé ou en rêvant au futur, écartant toujours la situation présente. Pour ressentir un bien-être plus durable, vous devez entraîner le mental à la méditation.

La méditation est une pratique par laquelle on observe constamment le mental : on apaise le mental en le concentrant sur un point, afin de percevoir le Soi. En arrêtant les vagues des pensées, vous arrivez à comprendre votre véritable nature et à découvrir la sagesse et la paix qui reposent en vous.

En vous concentrant sur la flamme d'une bougie, par exemple, ou sur un mantra (p. 98), vous ramenez constamment votre attention sur l'objet de concentration, réduisant ainsi les mouvements du mental à un petit cercle. Au début, vos pensées ne cesseront de vagabonder, mais avec la pratique régulière vous arriverez à augmenter la durée de concentration du mental.

Quand l'attention est encore instable, la méditation est appelée « concentration ». Dans la méditation, vous arrivez à un flux continu de pensées. La différence entre les deux est une différence de degré, non de technique. Swami Vishnu l'explique ainsi : « Pendant la concentration on tient fermement les rênes du mental ; pendant la méditation, les rênes ne sont plus nécessaires puisque le mental reste de lui-même fixé sur une seule vague de pensée. »

Dans les huit membres de Patanjali, la concentration et la méditation sont les sixièmes et septième étapes du Raja Yoga (voir p. 19). Le huitième est le Samadhi ou supraconscience, un état au-delà du temps, de l'espace et de la causalité où par la transcendance du corps et du mental règne l'unité totale. Dans le Samadhi, celui qui médite devient un avec l'objet de concentration car c'est l'égo qui crée la sensation de séparation ou dualité. Selon les anciens Védas, la concentration ou dharana consiste à fixer le mental sur une pensée pendant douze secondes. La méditation ou dhyana équivaut à douze dharanas — environ deux minutes et demie — et le Samadhi à douze dhyanas — un peu moins d'une demi-heure.

Tout comme la convergence des rayons du soleil sur une loupe les rend brûlants, la concentration des vagues de pensées éparpillées rend le mental puissant et pénétrant. Avec la pratique continue de la méditation, vous découvrirez en vous une détermination et une force de volonté plus grandes, et votre mental deviendra clair et plus concentré, influençant toutes vos actions.

Comme l'a écrit Swami Vishnu : « La méditation ne vient pas facilement ; un bel arbre met du temps à pousser ; il faut attendre que sorte une fleur, que mûrisse le fruit pour finalement le goûter. »

La fleur de la méditation est une paix qui transparaît dans tout l'être. Son fruit... est indescriptible.

Maîtrise du Mental

Le mental est comme un lac dont la surface est agitée par des vagues de pensées. Afin de voir le Soi qui se trouve en profondeur, on doit d'abord apprendre à calmer ces vagues, et devenir le maître de son mental plutôt que son esclave. Pendant presque toutes les heures où nous sommes éveillés, le mental rebondit d'une pensée à l'autre, par le jeu des désirs et aversions, des émotions et souvenirs, à la fois agréables et désagréables. De toutes les forces qui agitent le mental, ce sont les sens qui perturbent le plus la concentration, faisant naître rêveries et désirs. Un air connu à la radio renvoie le mental à l'époque où on l'a entendu pour la première fois, une odeur alléchante ou un courant d'air peuvent rompre l'enchaînement des pensées. La vue et l'ouïe sont les plus puissants de tous les sens ; ils entraînent constamment le mental vers l'extérieur et gaspillent beaucoup d'énergie mentale. C'est pourquoi la méditation utilise soit les sons (mantras), soit les images (dans Tratak).

Le mental, par nature, recherche sans cesse le bonheur, espérant vainement être satisfait par la réalisation des désirs. En obtenant l'objet désiré, le mental est momentanément apaisé, mais le même processus recommence bientôt parce que le mental est toujours le même et que le désir profond n'est pas satisfait. Imaginez, par exemple, que vous venez d'acheter une nouvelle voiture. Pendant un moment vous êtes content, fier, le mental est calme. Mais bientôt vous aurez envie d'un autre modèle ou d'une autre couleur, ou vous aurez peur qu'elle soit volée ou endommagée. Ce qui au début était un plaisir devient également une source de douleur, car en satisfaisant un plaisir on en crée beaucoup d'autres.

Le yoga nous apprend que nous possédons en nous une source de joie et de sagesse, un puits de tranquillité que nous percevons et dans lequel nous pouvons puiser quand le mouvement du mental est calme. Si nous arrivons à diriger ce désir de satisfaction vers l'intérieur au lieu de nous attacher aux objets extérieurs qui sont par nature éphémères, nous apprendrons à vivre en paix.

« Comme la beauté et le doux parfum de la fleur de lotus sont révélés seulement quand elle sort de l'eau boueuse et se tourne vers le soleil, de même notre vie s'épanouira quand nous abandonnerons le monde de Maya, l'illusion, et nous tournerons vers Dieu, par la méditation. »
(Swami Vishnu Devananda.)

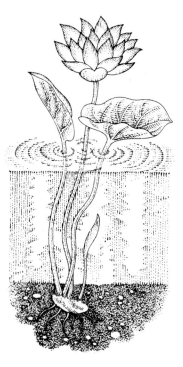

Observer le Jeu des Pensées

Pendant la méditation, vous ressentez le mental comme un instrument. Si vous consacrez tous les jours un certain temps à la concentration, vous commencerez à voir les nombreux mouvements du mental qui vous empêchent de vivre dans l'instant présent. Par cette première approche d'un nouveau mode de perception vous apprenez à observer et donc à changer votre façon de penser. Un des moyens les plus efficaces pour contrôler le mental est de cesser de nous associer à nos émotions, nos pensées, nos actions. Au lieu de nous identifier à elles, on reste simplement en retrait et on joue le rôle d'un témoin comme si l'on regardait quelqu'un d'autre. En s'observant ainsi sans passion, sans jugement, nos pensées et nos émotions perdent leur pouvoir sur nous et on commence à voir le corps et le mental comme des instruments que l'on peut contrôler. En vous détachant des jeux de l'ego, vous apprenez à être responsable de vous-même.

La Méditation dans Votre Vie Quotidienne

Vous ne parviendrez sans doute pas à apprivoiser le mental pendant votre brève séance de méditation quotidienne si vous le laissez sans contrôle le reste du temps. Plus vous maintenez le mental concentré, mieux vous pourrez fixer votre attention quand vous vous asseyez pour méditer. Hormis les techniques de méditation exposées plus loin, il y a déjà beaucoup à faire pour apprendre à concentrer votre mental. En marchant, par exemple, essayer de synchroniser les pas et la respiration, inspirez sur trois pas, expirez sur trois pas. La respiration lente et contrôlée calme également le mental (p. 69). Quand vous lisez un livre, testez votre concentration en vous arrêtant au bas de la page pour voir ce que vous avez retenu. Ne limitez pas le Japa à votre séance de méditation, mais répétez votre mantra en allant travailler, par exemple, en pratiquant vos asanas ou en préparant un repas. Plus important encore, gardez vos pensées aussi positives que possible. Les jours où votre paix mentale est troublée par la colère ou la tristesse, vous pouvez vous apaiser en vous concentrant sur l'émotion opposée, neutralisant les sentiments de haine par l'amour, ou de doute par la confiance et l'espoir. En utilisant ces techniques simples vous pouvez lentement habituer votre mental à un état de concentration. Vous remarquerez alors que les influences extérieures ont moins d'effet sur vous. Que vous ayez une semaine de travail difficile ou un dimanche à la campagne, votre humeur restera la même car votre force intérieure s'accroît. Vous gagnez la sécurité de savoir qu'au milieu des changements qui sont l'essence de la vie vous pouvez rester plein de constance et d'assurance.

Méditation Saguna et Nirguna
Imaginez-vous que vous êtes assis à l'intérieur d'une sphère qui représente l'Absolu. Dans la méditation Saguna (en haut), vous vous concentrez et devenez un avec un des symboles de la sphère, tels que Om ou la croix. Dans la méditation Nirguna (en bas), vous ne vous identifiez avec aucun des symboles ou aspects de l'Absolu. Votre conscience s'étend pour s'englober et se fondre dans la sphère elle-même.

Les Types de Méditation

Dans le yoga il y a deux types principaux de méditation : concrète ou Saguna (littéralement « avec qualités ») et abstraite ou Nirguna (« sans qualités »). Dans la méditation Saguna, vous vous concentrez sur un objet concret sur lequel le mental peut facilement s'arrêter : une image ou un symbole visuel ou un mantra qui vous amènera à l'unité. Dans la méditation Nirguna, le point de concentration est une idée abstraite, comme l'Absolu, concept que les mots ne peuvent décrire. La méditation Saguna est dualiste : celui qui médite se considère séparé de l'objet de méditation, alors que dans la méditation Nirguna il se perçoit comme faisant un avec cet objet. Les techniques de méditation exposées dans ce chapitre sont essentiellement Saguna, car il est plus difficile d'arrêter le mental à un concept abstrait même si votre perception de l'absolu est abstraite. Mais pour ceux qui se sentent aptes à la méditation Nirguna, nous avons inclus deux mantras Nirguna (p. 99) : Om et Soham. Que vous pratiquiez la méditation Saguna ou Nirguna, le but ultime est le même : transcender les Gunas. Comme l'enseigne Swami Vishnu : « Le but de la vie est de concentrer le mental sur l'Absolu. »

Les Principes de la Méditation

La méditation, comme le sommeil, ne peut pas s'apprendre, elle vient d'elle-même, au bon moment. Mais si vous suivez les bonnes étapes au début, vous progresserez beaucoup plus vite. Pour mieux faire comprendre les étapes de base de la méditation, Swami Vishnu a mis au point douze principes, résumés à droite. Le plus important est de faire de la méditation une habitude régulière dans votre vie, en méditant chaque jour au même endroit et à la même heure. Cela entraînera votre mental à réagir immédiatement lorsque vous vous asseyez pour méditer, de même que votre estomac attend la nourriture aux heures des repas. Après quelques mois de pratique régulière, votre mental réclamera de lui-même ce moment paisible. Les moments les plus propices à la méditation sont l'aube et le crépuscule, quand l'atmosphère est chargée d'énergie spirituelle. Mais si cela vous est impossible, choisissez un moment où vous êtes seul et tranquille. Commencez par pratiquer vingt minutes puis progressivement jusqu'à une heure. Asseyez-vous face au Nord ou à l'Est pour bénéficier des effets subtils du champ magnétique terrestre. Pour ne pas avoir froid, utilisez une couverture. Il est important que votre position assise soit ferme et détendue car votre concentration sera perturbée si vous n'êtes pas à l'aise. Avant de commencer, commandez à votre mental d'être silencieux et d'oublier toutes les pensées du passé, du présent ou du futur. Puis régularisez votre respiration, afin de contrôler le flux du prana qui aidera à calmer le mental. N'essayez pas de lutter contre l'agitation du mental, cela engendrerait encore plus de vagues de pensées. Détachez-vous simplement de vos pensées et observez votre mental.

> « Le Soi n'est pas le corps ou le mental individuel mais plutôt ce qui, au fond de chacun, connaît la vérité. »
> *(Swami Vishnu Devananda.)*

Les Douze Principes

1 *Réservez un endroit spécial pour la méditation, l'atmosphère qui y règne vous aidera à apaiser le mental.*

2 *Choisissez un moment où vous êtes libre de toutes les préoccupations quotidiennes. L'aube et le crépuscule sont les plus favorables.*

3 *Méditer au même endroit et à la même heure apprend au mental à se calmer plus rapidement.*

4 *Asseyez-vous le dos, la nuque et la tête en ligne droite, face au Nord ou à l'Est.*

5 *Commandez à votre mental de rester calme pendant toute la durée de votre séance de méditation.*

6 *Régularisez votre respiration : commencez par 5 minutes de respiration profonde, puis ralentissez.*

7 *Adoptez un rythme de respiration régulier, en inspirant et expirant pendant 3 secondes environ.*

8 *Au début, laissez votre mental s'égarer ; si vous le forcez à se concentrer il sera encore plus agité.*

9 *Puis amenez le mental au point de concentration choisi : Ajna ou Anahata Chakra (p. 71).*

10 *En appliquant la technique de votre choix maintenez votre objet de concentration sur ce point, pendant toute votre séance.*

11 *La méditation vient quand vous êtes dans le domaine de la pensée pure tout en restant conscient de la dualité.*

12 *Après beaucoup de pratique... la dualité disparaît et le Samadhi, l'état supraconscient, est atteint.*

Les Postures de Méditation
Le Lotus ou la Posture Facile procure une base ferme et un trajet triangulaire pour le flux d'énergie. Si vos genoux ne touchent pas le sol, placez un coussin sous les fesses. Si vous préférez, assseyez-vous sur une chaise (p. 1772). Posez les mains sur les genoux, paumes vers le haut, les pouces et les index joints dans le Chin Mudra.

Commencer à méditer

Dans la longue tradition de la méditation, il y a une grande variété de techniques, certaines utilisant le pouvoir du son, d'autres les symboles visuels ou encore la respiration. Mais toutes ont le même but : ramener les rayons éparpillés du mental sur un seul point afin d'amener celui qui médite à l'état de réalisation de soi. La technique que nous recommandons pour une pratique continue est Japa, la répétition du mantra (p. 98). Si vous débutez dans la méditation, vous souhaitez peut-être utiliser en plus du mantra une autre technique pour vous aider à discipliner le mental.

Yoni Mudra

Yoni Mudra est un exercice de pratyahara ou retrait des sens. En fermant les oreilles, les yeux, le nez et la bouche, vous vous retirez en vous-même comme une tortue qui glisse ses pattes sous sa carapace. Pendant la journée, le mental est constamment agressé par les informations et les stimuli des cinq sens. C'est seulement lorsque les sens sont contrôlés et que le mental n'est plus attiré sans cesse vers l'extérieur, que vous pouvez espérer arriver à vous concentrer. Vous aurez déjà eu un avant-goût de la sensation du retrait d'un seul sens, en pratiquant les asanas, l'estomac vide et peut-être en fermant les yeux. En vous permettant de vous reposer calmement en vous-même, Yoni Mudra vous fait pleinement prendre conscience de la tyrannie des sens. C'est une technique que vous pouvez adopter chaque fois que vous vous sentez particulièrement agité ou perturbé. Votre concentration devenant plus profonde, vous commencerez à entendre les sons mystiques intérieurs (anahata) pendant la pratique : par exemple, des sons de flûte, de cloches, de tambour... qui sont les signes d'une conscience plus élevée. Le Siva Samhita, un des textes yogiques, dit à propos du Yoni Mudra : « Le Yogi, en restreignant fermement l'air, voit son âme dans la forme de la lumière. »

Yoni Mudra
Fermez les oreilles avec vos pouces. Couvrez vos yeux avec vos index, puis fermez vos narines avec les majeurs et fermez les lèvres avec les autres doigts. Relâchez doucement les index pour inspirer et expirer pendant que vous méditez.

Concentration sur un thème

Quand on apprend à méditer, il est difficile de garder l'attention fixée sur un seul objet. Pour vous y exercer, vous pouvez essayer de réduire d'abord votre champ de concentration à une catégorie d'objets où votre mental a encore une certaine liberté de mouvement. Dans l'exercice de concentration sur un thème expliqué en bas à droite, vous choisissez quatre fleurs comme objet de concentration. Vous vous concentrez sur une, puis quand votre mental commence à se distraire, sur la deuxième. Si vous préférez, choisissez un autre thème : fruits ou arbres... Ce qui est important c'est de ramener son mental sur un groupe d'objets, et que vous puissiez les regarder avec détachement. Cette pratique apaisera l'attention de votre mental et vous apprendra le principe de la concentration sur un point. Lorsque vous n'éprouverez plus de difficultés à visualiser un groupe d'objets, vous pourrez passer à la concentration sur un seul objet.

Concentration sur un thème
Les yeux fermés, imaginez un jardin avec une fleur différente dans chaque coin. Commencez à explorer les qualités d'une fleur. Puis, quand votre mental se disperse, passez à une autre fleur dans le coin suivant. Visualisez clairement chacune d'entre elles.

Tratak

ratak, fixer le regard sur un point, est un excellent exercice de concentration. Cela comprend alternativement : regarder un point ou un objet, fixement, sans cligner des yeux, puis fermer les yeux et visualiser mentalement l'objet. Cette pratique stabilise le mental agité et vous fait concentrer l'attention avec une précision parfaite. Le mouvement des yeux est toujours suivi par le mental si bien que si vous fixez votre regard sur un point unique, le mental aussi se concentre sur ce point. Destiné initialement à fortifier votre pouvoir de concentration et à purifier le mental, Tratak améliore également la vue et stimule le cerveau par l'intermédiaire du nerf optique. C'est un des six exercices de purification appelés « Kriyas ».

Le plus souvent, on pratique Tratak avec une bougie (p. 96), mais vous pouvez également utiliser d'autres objets comme cible pour votre regard : marquez un point noir sur un papier blanc fixé au mur, utilisez un chakra (p. 71) ou un yantra (p. 96) ; les yantras sont des figures géométriques supports de concentration. Comme les mantras, chaque yantra a un sens mystique particulier. Vous pouvez essayer de fixer un symbole comme Om (p. 96), puis choisir l'image d'une déité. Vous n'êtes pas obligé de limiter votre pratique à des objets ; vous pouvez utiliser les nombreux points de fixation qu'offre la nature. Dans la journée, une fleur ou un coquillage, la nuit, la lune ou une étoile. Si votre objet de concentration est immobile et relativement petit, alors votre Tratak apportera les effets désirés. Les yogis utilisent souvent l'espace entre les sourcils ou le bout du nez pour le Tratak, comme ci-dessus.

La technique de Tratak reste la même quelle que soit votre cible, mais naturellement vous ferez quelques modifications si vous méditez dehors. Placez l'objet choisi au niveau des yeux, à un mètre environ de vous. Tout d'abord régularisez votre souffle, puis commencez à fixer l'objet sans cligner des yeux. Ne regardez pas dans le vide mais fixement et sans effort. Après une minute environ, fermez les yeux et en maintenant votre regard à l'intérieur, visualisez l'objet au niveau d'Ajna ou Anahata chakra (voir p. 92). Quand cette image interne s'estompe, ouvrez vos yeux et recommencez. Le Hatha Yoga Pradipika indique : « Regardez fixement l'objet de concentration pendant une minute jusqu'à ce que des larmes apparaissent. » Si vos yeux pleurent après un court moment, fermez-les, peu à peu vous pourrez rester les yeux ouverts plus longtemps.

Au fur et à mesure que votre concentration devient plus profonde et votre regard plus fixe, allongez la durée de chaque phase jusqu'à ce que vous pratiquiez pendant une heure. Les premiers temps, vous pourrez avoir des pensées indésirées qui viennent perturber votre mental. Continuez simplement à ramener votre attention sur l'objet de concentration et le mental suivra. Avec la pratique, vous pourrez clairement visualiser l'objet choisi quand vous fermez les yeux.

Fixer le front et le nez
Fixer le point entre les sourcils, siège du « troisième œil » (en haut), ou le bout du nez (en bas), fortifie les muscles des yeux tout en améliorant votre concentration. Une minute suffit au début, puis vous pourrez aller jusqu'à dix minutes. Ne forcez pas, si vous avez mal aux yeux, fermez-les. Fixer le front éveille la Kundalini, alors que fixer le nez agit sur le système nerveux central.

OM

Pour un yogi, il n'y a pas de symbole plus puissant que la syllabe OM, comme témoignent ces mots de la Mandukya Upanishad : « OM : ce mot éternel est tout : ce qui était, ce qui est et ce qui sera. » Dans la lettre sanskrite, la grande courbe inférieure représente l'état de rêve, la courbe supérieure l'état de veille et la petite courbe partant du centre le sommeil profond, sans rêves. Le croissant, au-dessus, représente « Maya », le voile de l'illusion, et le point d'état transcendental. Quand l'esprit individuel dans l'homme passe à travers le voile et repose dans l'état transcendental, il est libéré des trois premiers états et de leurs qualités.

Tratak sur OM
Si vous utilisez le OM sanskrit pour le tratak (en haut à gauche), suivez son contour dans le sens inverse des aiguilles d'une montre. Dans le yantra OM du XVIIIe siècle (en bas à gauche), la syllabe sacrée est représentée sous une forme différente. Le yantra provient du Rajasthan, en Inde.

Fixer la flamme *(droite)*
La flamme de la bougie est l'objet le plus couramment utilisé pour le tratak parce qu'il est facile de visualiser son image les yeux fermés. Il faut placer flamme à hauteur des yeux, dans un pièce sombre, sans courants d'air.

Les Mantras

Le son est une forme d'énergie constituée de vibrations ou longueurs d'onde ; certaines longueurs d'onde ont le pouvoir de guérir, d'autres peuvent briser un verre. Les mantras sont des syllabes, des mots ou des phrases sanskrits qui, répétés en méditation, amènent l'individu à un état supérieur de conscience. Ce sont des sons ou des énergies qui ont toujours existé dans l'univers et ne peuvent être ni créés ni détruits. Il y a six qualités communes à chaque vrai mantra : à l'origine, il a été révélé à un sage qui a atteint la réalisation du Soi en le répétant et qui l'a transmis. Un certain rythme ; une déité à laquelle il est dédié ; un « bija » ou graine qui est son essence et l'investit d'un pouvoir particulier ; une énergie cosmique divine : shakti ; enfin une clé qui doit être trouvée par la répétition constante avant que la conscience pure ne soit révélée. Japa ou la répétition du mantra non seulement vous apporte un point tangible où concentrer le mental mais libère également l'énergie contenue dans le son. Cette énergie se manifeste littéralement, créant une forme de pensée particulière dans le mental. La prononciation correcte est donc très importante. Avec une pratique sincère, la répétition d'un mantra amène à la pensée pure où la vibration du son s'unit à la vibration de la pensée et où l'on a plus conscience de sa signification. De cette manière le mantra vous mènera à la véritable méditation, à l'état d'unité, de non-dualité.

Il y a trois types principaux de mantras : les mantras Saguna qui invoquent une déité particulière ou un aspect de l'Absolu. Les mantras Nirguna qui sont abstraits et affirment l'identification de celui qui médite avec l'Absolu. Les « Bijas Mantras » ou graines, sont des aspects d'OM et proviennent directement des 50 sons originels. Une vraie initiation est donnée par un guru qui chargera le mantra de sa propre énergie pranique. Si cela n'est pas possible, pratiquez la répétition des mantras et choisissez-en un qui vous est agréable. Les Bijas Mantras ne sont pas inclus, étant trop puissants pour être utilisés par les débutants.

Les Formes du Japa

Vous pouvez répéter votre mantra à haute voix, en le chantant, à voix basse ou mentalement. La répétition mentale est la plus efficace, parce que les mantras ont une longueur d'onde qui se situe au-delà de la voix ou des sons. Mais au début, s'il est difficile de garder le mental concentré, vous pouvez méditer en disant le mantra, puis en le murmurant avant de le répéter mentalement. Quelle que soit la forme de Japa employée, il est plus facile de coordonner le mantra à la respiration. De plus, trois techniques de Japa pourront améliorer vos pouvoirs de concentration : vous pouvez utiliser un collier de perles appelé « mala » (à droite), en comptant les perles avec la répétition du mantra. Vous pouvez utiliser le pouce de la main droite pour compter les lignes des articulations des doigts (en haut à droite). Enfin, vous pouvez écrire votre mantra tout en le répétant mentalement (page suivante).

Compter les lignes des doigts
Placez votre pouce droit sur la première articulation du petit doigt, et bougez-le chaque fois que vous dites le mantra, d'abord à l'articulation du milieu, puis celle du bas du doigt, puis sur le quatrième doigt, etc. En utilisant les trois lignes des quatre doigts, on compte douze répétitions ; neuf fois équivaut à 108 répétitions soit un mala.

Utiliser un mala
Un mala a 108 perles, plus le « meru », la grande perle. En le tenant dans la main droite commencez par le meru et faites glisser les perles une par une entre le pouce et le majeur tout en répétant le mantra. Quand vous arrivez au meru, repartez dans l'autre sens sans passer par-dessus le meru.

Saguna Mantras

Ram (raam)
Ce mantra est la forme d'énergie qui correspond à la vérité, la droiture et la vertu dans leur aspect masculin ; ce mantra puissant est composé de trois graines sonores.

Sita (si-ta)
C'est l'aspect féminin du mantra Ram. Il représente l'incarnation de Prakriti ou nature (p. 16), qui prend la forme de la mère. Il peut être aussi répété avec Ram ; réunis, les deux mantras incarnent l'énergie existant dans une union ou un mariage idéal.

Shyam (shiaam)
Représente l'amour cosmique et la compassion dans leur aspect masculin ; ce mantra transforme toutes les émotions en amour inconditionnel.

Radha (raa-da)
Radha est l'aspect féminin de Shyam, symbolisant l'amour cosmique de la mère divine.

Om Namah Sivaya (aoom-na-mah shivaa-ya)
C'est la forme d'énergie purifiante qui détruit nos tendances négatives ; il est choisi plus spécialement par ceux qui sont de nature ascétique. La danse de Siva représente le mouvement inhérent à la matière. Quand Siva s'arrête de danser, l'illusion de la matière est détruite.

Om Namo Narayanaya (aoom na-moo na-raa-ya-naa-ya)
La forme d'énergie de l'harmonie et de l'équilibre dans leur aspect masculin, ce mantra est utilisé par ceux qui traversent une période difficile ; il leur donne la force de retrouver l'harmonie dans leur vie.

Om Aim Saraswatyai Namah (aaoomaym sa-ra-svht-yei na-ma-haa)
L'aspect féminin de la forme de l'énergie créatrice et de la sagesse, ce mantra est souvent choisi par les artistes et les musiciens.

Nirgina Mantras

Om (aoom)
Om est le mantra originel, la racine de tous les sons et de toutes les lettres et donc de tout langage et de toute pensée. Le « O » part de l'intérieur du corps et monte lentement pour s'unir avec le « m » qui résonne alors dans toute la tête. La répétition de Om pendant vingt minutes relaxe chaque atome du corps.

Soham (soo-ham)
On répète inconsciemment ce mantra à chaque respiration : en inspirant : « so » et en expirant : « ham ». Cela signifie : « Je suis ce que je suis », au-delà des limites du corps et du mental, uni avec l'Absolu.

Likhita Japa
Si vous voulez pratiquer « Likhita Japa » ou l'écriture du mantra, vous devez y consacrer un cahier spécial. Avant de commencer, décidez combien de fois ou pendant combien de temps vous allez répéter le mantra. Le but n'est pas d'écrire le plus vite possible mais d'accorder de l'attention à chaque répétition. Vous pouvez utiliser le sanskrit ou sa transcription pour écrire le mantra que vous avez choisi.
Ci-dessus : un exemple d'un Likhita Japa de Swami Sivananda.

Asanas et variations

« La posture devient parfaite
quand elle s'exécute
sans effort. »
(Yogabhashya.)

Dans la Séance de Base, vous avez appris le fil directeur de votre pratique quotidienne. Ce chapitre élargira votre horizon : il présente une gamme importante de variations et de nouveaux asanas que vous pourrez intégrer à votre séance de base. Pour être plus clair nous avons divisé les asanas en six séries : les Postures sur la Tête, les Postures sur les Épaules, les Flexions Avant, les Flexions Arrière, les Postures Assises et les Postures d'Équilibre. Le but de ces séries n'est pas de créer des divisions strictes entre les postures, mais de montrer clairement leur relation avec les postures de base.

Chaque série se compose de variations d'asanas de la Séance de Base, auxquelles s'ajoutent de nouveaux asanas appartenant à la même famille. En général chaque présentation sur deux pages est organisée de la façon suivante : les asanas les plus faciles figurent au début et les plus avancés à la fin. Souvent les variations les plus avancées sont simplement des progressions naturelles des asanas plus faciles, que vous serez en mesure d'exécuter lorsque votre corps se sera fortifié et assoupli. Mais quel que soit votre niveau, vous devriez pratiquer avec méthode plutôt que de passer d'un asana à l'autre au hasard, afin de préparer le corps aux postures les plus difficiles.

N'essayez pas de pratiquer l'ensemble des asanas d'une série d'un trait. Choisissez quelques nouveaux asanas ou variations de chaque série et intégrez-les à votre séance de base, qui devrait à ce point être une seconde nature pour vous. Prenez soin de consacrer un temps à peu près égal à chaque série ; vous devez respecter l'équilibre si vous ne voulez pas privilégier un aspect des asanas aux dépens d'un autre. De la même manière, prenez l'habitude d'équilibrer les variations que vous exécutez : par exemple, contrebalancez une variation de flexion avant par une variation de flexion arrière. Pratiquez toujours avec douceur quand vous apprenez de nouveaux asanas, surtout si vous êtes assez raide au départ, non seulement pour éviter les claquements des muscles ou des articulations, mais aussi pour habituer vos organes internes à certains massages peu habituels.

Vous aurez peut-être l'impression de progresser rapidement au début, puis d'atteindre un plateau. Ne vous découragez pas si cela vous arrive, car vous faites des progrès, même si vous n'en êtes pas conscient. Poursuivez votre pratique quotidienne comme d'habitude, essayez de trouver des variations différentes pour stimuler le mental et cette période s'achèvera vite.

Avec le temps vous finirez par avoir une perception plus subtile du rôle que jouent les asanas dans la vie quotidienne, et ce ne sera plus le fait de progresser qui vous motivera pour pratiquer vos asanas.

Pour certains yogis, une posture suffit à atteindre la perfection. Ils peuvent rester dans la Posture sur la Tête pendant trois heures d'affilée. Mais la plupart d'entre nous avons besoin, pour progresser, de pratiquer des mouvements variés. Les différents asanas font particulièrement travailler certaines parties du corps ou du mental. En assouplissant et en maîtrisant petit à petit le corps, la personnalité s'épanouit et la conscience s'élève. Cela peut se manifester de manières très variées, autant sur le plan émotionnel que spirituel ; vous serez plus ouvert et plus détendu avec les autres, par exemple, et la méditation deviendra plus facile. C'est lorsque vous tenez une posture que le corps commence vraiment à s'ouvrir. Fermez les yeux et prenez le temps de vous concentrer sur votre respiration ou répétez un mantra. Exécuter les variations d'un asana de base, comme, par exemple, la Posture sur les Épaules, renforcera votre maîtrise dans cet asana et vous permettra de la tenir en restant immobile. Plus vous garderez l'immobilité dans une posture, plus votre mental se tournera vers l'intérieur dans la méditation.

Les Postures sur la Tête

Une fois que vous maîtrisez la Posture sur la Tête de base et que vous êtes habitué à vous retrouver à l'envers, vous pouvez commencer à explorer l'espace autour de vous, à bouger dans la posture et à la vivre plus en profondeur. En fait, toutes les variations de cette série sont des dérivés naturels de la Posture sur la Tête ; si vous deviez les chercher par vous-même, vous les découvririez intuitivement. Comprendre que les bras peuvent jouer le même rôle que les jambes est un des points les plus importants que l'on apprend dans les postures inversées. Avec la pratique, vos bras porteront votre corps aussi facilement que vos jambes, et vous permettront le même éventail de mouvements que lorsque vous êtes debout. La Posture sur la Tête est par nature méditative. Profitez-en quand vous exécutez les variations : laissez le mental s'apaiser et se concentrer.

Variations pour les Jambes

Vous devez être capable de porter votre poids sans effort si vous voulez apprécier les asanas plus avancés et pouvoir y méditer. Les exercices pour les jambes expliqués ici sont un moyen d'atteindre ce but. Apprendre à porter le poids de vos jambes dans une position allongée vous permettra de développer la force nécessaire pour porter et contrôler tout le poids du corps dans d'autres postures. Avec le temps vous pourrez remplacer ces exercices par des variations pour les jambes dans des postures debout ou inversées. Dans la Variation 1, vos jambes sont comme des « poids » que vous faites balancer d'un côté à l'autre en décrivant un arc de cercle. La Variation 2 étire vos jambes et augmente la mobilité des articulations des hanches. Essayez de répéter chaque exercice au moins trois fois, et vérifiez que vos épaules restent au sol et que vos jambes sont tendues.

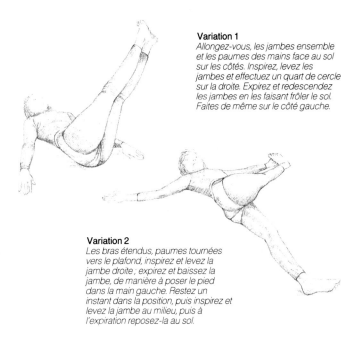

Variation 1
Allongez-vous, les jambes ensemble et les paumes des mains face au sol sur les côtés. Inspirez, levez les jambes et effectuez un quart de cercle sur la droite. Expirez et redescendez les jambes en les faisant frôler le sol. Faites de même sur le côté gauche.

Variation 2
Les bras étendus, paumes tournées vers le plafond, inspirez et levez la jambe droite ; expirez et baissez la jambe, de manière à poser le pied dans la main gauche. Restez un instant dans la position, puis inspirez et levez la jambe au milieu, puis à l'expiration reposez-la au sol.

Variations pour les Jambes sur la Tête

Pour exécuter toutes les variations illustrées sur ces pages vous devriez être sûr de votre pratique de Sirshasana. Gardez les jambes aussi tendues que possible dans les postures. Une fois que ces mouvements de jambes ne vous demandent plus d'effort, vous pouvez vous dispenser des Variations 1 et 2 ci-dessus.

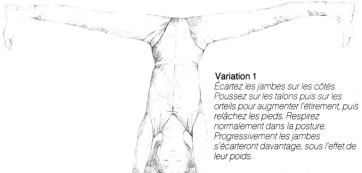

Variation 1
Écartez les jambes sur les côtés. Poussez sur les talons puis sur les orteils pour augmenter l'étirement, puis relâchez les pieds. Respirez normalement dans la posture. Progressivement les jambes s'écarteront davantage, sous l'effet de leur poids.

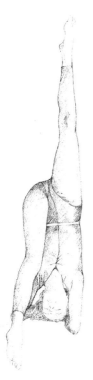

Variations 2 et 3

2 *Maintenez les hanches en arrière, expirez et baissez une jambe au sol en évitant de reporter le poids sur le pied. A l'inspiration, levez la jambe.*
3 *(photo) De la Variation 1, expirez et descendez la jambe latéralement jusqu'au sol. A l'inspiration, levez-la.*

Variation 4

Descendez la jambe droite en avant et la jambe gauche en arrière. Poussez sur les talons et tirez les orteils vers vous. Laissez vos jambes s'écarter par l'effet de la pensanteur. Puis ramenez les jambes dans la Posture sur la Tête et répétez en inversant les jambes.

Le Scorpion

La maîtrise de Vrischikasana, le Scorpion, est plus une question de confiance et de concentration que de force. Imaginez que vos mains et vos avant-bras sont des « pieds » géants et vous n'aurez plus peur de tomber. En fait, quand vous reposez sur les mains et les avant-bras, votre poids est distribué sur une surface plus importante que lorsque vous êtes debout. Avant d'essayer d'exécuter le Scorpion complet, habituez-vous à plier le corps en arrière, décroisez les doigts et posez les mains à côté de la tête, puis rassemblez les mains à nouveau et revenez dans la Posture sur la Tête. Quand vous apprenez l'asana, essayez d'amener la poitrine et les jambes aussi près que possible du sol et poussez sur les hanches de manière à les éloigner des pieds pour être plus stable. Pour arriver à tenir la posture la chose la plus importante est d'amener les jambes assez loin pour compenser le poids du tronc, et de se servir de ses mains pour rester en équilibre. Après le Scorpion, pratiquez la contre-posture : ramenez les pieds devant votre visage sur le sol (Flexion Avant dans la Posture sur la Tête, voir p. 103).

1 *Cambrez le dos, pliez les genoux, écartez les jambes et baissez-les derrière vous. Décroisez vos doigts et posez une main à plat sur le sol près de votre tête.*
2 *Posez l'autre main à plat, puis écartez légèrement les poignets de sorte que vos avant-bras soient parallèles. Soulevez les épaules vers le plafond pour dégager la tête.*

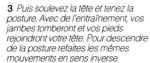

3 *Puis soulevez la tête et tenez la posture. Avec de l'entraînement, vos jambes tomberont et vos pieds rejoindront votre tête. Pour descendre de la posture refaites les mêmes mouvements en sens inverse.*

Variation 1
Quand vous serez plus avancé, essayez de tendre vos jambes en partant de la posture classique. Une fois que vous maîtrisez cela vous pourrez passer directement au Scorpion (jambes tendues) sans plier les jambes pour commencer.

Variation 2
C'est dans cette variation avancée (photo) que la posture ressemble le plus à un scorpion avec sa queue repliée sur son dos. Ramenez vos jambes aussi près que possible du sol. Poussez les hanches aussi loin que vous pouvez et essayez de garder les genoux droits.

Variations pour les Bras

Une fois que vous êtes sûr de votre
Posture sur la Tête, essayez de
modifier sa base triangulaire en
changeant la position des bras.
Prendre et garder ces variations de
bras vous apprend à tenir l'équilibre.
S'il vous est trop difficile de déplacer
vos bras avec les jambes dans le
Sirshasana classique (comme
illustré), écartez les jambes sur les
côtés (p. 102) ; plus votre corps se
rapproche du sol, plus l'équilibre est
facile à trouver. Alors que le poids du
corps se déplace pour changer la
position des bras, gardez une stabilité
mentale en contrôlant votre
respiration. Chaque fois que vous êtes
confronté à un nouvel obstacle dans
la pratique de vos asanas et que vous
le surmontez, vous gagnez de
l'assurance et pouvez plus facilement
dépasser vos propres limites.

1a *Défaites vos mains et reportez la
plus grande partie du poids du corps
sur le côté gauche. Quand vous vous
sentez en équilibre, inspirez, puis, en
retenant le souffle, dégagez une main
et posez-la à la place du coude.*
1b *Répétez de l'autre côté : posez
l'autre main en arrière. Restez dans la
posture en respirant normalement.*

2a *A nouveau reportez le poids du
corps sur le côté gauche, inspirez, et,
en retenant le souffle, allongez le bras
droit tendu devant vous, paumes vers
le sol.*
2b *Répétez de l'autre côté : allongez
le bras gauche. La distance qui
sépare vos bras devrait correspondre
à la largeur des épaules. Restez dans
la posture, et respirez normalement.
Dans une variation encore plus
avancée, les bras sont tendus juste
devant le visage, et les coudes et les
avant-bras tendent à se rapprocher
(photo).*

3a *A nouveau, déplacez le poids du
corps sur le côté gauche. Inspirez, et,
en retenant votre souffle, pliez le bras
droit et posez l'avant-bras devant votre
tête.*
3b *Répétez : amenez le bras gauche
contre le bras droit et saisissez les
coudes avec les mains. Gardez la
posture, puis redescendez, ou
revenez dans la Posture sur la Tête
classique en suivant la chronologie
inverse.*

Le Lotus sur la Tête

Le Lotus sur la Tête, Oordhwapadmasana, rend votre corps plus dense dans la posture inversée. Avec vos jambes pliées et croisées, il est en fait plus facile de porter votre poids et de rester en équilibre dans la Posture sur la Tête. Croiser les jambes vous aide également à ne pas vous disperser physiquement, et vous permet de ramener toute votre attention vers l'intérieur. La Posture sur la Tête distribue l'énergie dans le cerveau, le Lotus la conserve dans la partie inférieure du corps. En combinant les deux asanas, vous percevrez la concentration de prana dans la colonne vertébrale. Outre la torsion (photo gauche), vous pouvez également vous plier en avant dans la posture. Avec les jambes en Lotus, le bas du dos a moins d'effort à fournir, et cela permet une meilleure flexion.

Le Lotus sur la Tête
Mettez-vous en Lotus dans la Posture sur la Tête. Après avoir replié une jambe, pliez légèrement les hanches vers l'avant, de manière à replier plus facilement l'autre jambe.

Variation *(photo)*
Tournez vos hanches vers la droite, en poussant sur l'avant-bras gauche pour vous aider à garder l'équilibre. Répétez sur le côté gauche.

Posture Inversée à une Jambe

Voici une des postures les plus avancées de la série des Variations sur la Tête, car elle exige beaucoup de souplesse et de force. Cambrez la colonne vertébrale en arrière et amenez les pieds au sol derrière la tête, puis levez les jambes l'une après l'autre, ce qui procure un étirement de chaque côté du corps. La posture fortifie également les jambes et les pieds, puisque le pied qui reste au sol non seulement porte le poids du corps, mais sert également de point d'appui pour les mains, qui étirent alors les vertèbres cervicales, la nuque et la tête en arrière. Quand vous exécutez cet asana, portez toute votre attention sur la tête qui doit se rapprocher de la jambe au sol.

1 *Dans la Posture sur la Tête, cambrez le dos en arrière et amenez les jambes derrière la tête. Puis poussez sur les coudes, détendez le dos, et poussez les hanches vers le plafond en posant doucement les pieds au sol. (Si vous n'êtes pas prêt pour cette variation depuis la Posture sur la Tête, montez dans cette posture à partir du sol, avec les mains en triangle.)*

2 *Puis décroisez les doigts et marchez avec un pied vers la tête. Saisissez le pied avec les deux mains, levez l'autre jambe droite, comme sur la photo, et soulevez la tête du sol. Répétez, en levant l'autre jambe.*

Les postures sur les épaules

Les variations de cette série sont mentalement bien plus accessibles que les Postures sur la Tête, pour la simple raison qu'en ayant la tête face au plafond vous pouvez voir ce que vous faites. Cela non seulement réduit la crainte d'aborder de nouvelles postures, mais vous permet également d'être votre propre professeur, et de vérifier que votre corps est droit et symétrique. Dans cette série, le prana est concentré dans la nuque et le haut du dos, ce qui est grandement bénéfique au bas du dos, car tout travail exécuté à une extrémité de la colonne vertébrale est automatiquement renvoyé à l'autre extrémité. Afin d'exécuter ces variations correctement, préparez-vous quand vous êtes encore dans la Posture du Cadavre (p. 24-25) : poussez les épaules vers le bas et étirez la nuque vers le haut en l'éloignant des épaules.

Variations des Bras

Plus vous serez avancé dans vos asanas, moins vous aurez besoin de vos bras pour soutenir le corps ; vous vous apercevrez bientôt, par exemple, que vous pouvez vous lever de la position assise sans vous aider de vos mains. Pour garder l'équilibre dans Sarvangasana en levant les bras le long du corps (comme dans la Variation 3), vous devez avoir une bonne musculature dorsale et une bonne concentration. Une fois que vous y arrivez, essayez de pratiquer les Exercices pour les Jambes avec les bras le long du corps.

Variations des Jambes

Apprendre à considérer ses jambes comme un instrument d'équilibre et de mesure du poids est une des leçons les plus importantes des postures inversées. Dans la Posture sur les Épaules et la Posture sur la Tête, les variations pour les jambes changent votre perception de l'équilibre et modifient la répartition du poids du corps.

Variation 1
Soutenez le dos, expirez et baissez la jambe droite au sol derrière la tête. A l'inspiration redressez-la. Gardez les deux jambes tendues. Répétez trois fois avec chaque jambe.

Variation 3
Prenez la Posture sur les Épaules, en soutenant le dos normalement. Puis amenez doucement d'abord le bras droit, puis le bras gauche, le long des cuisses. Restez dans la posture en respirant normalement.

Remarque *Ne pratiquez cette variation pour les bras que si votre dos est droit ; si le corps s'affaisse quand vous levez les bras, soutenez le dos.*

Variation 2
Baissez la jambe droite, comme dans la Variation 1. Étirez le bras gauche sur le sol derrière votre dos, pliez la jambe et posez le genou à côté de l'oreille. Saisissez le pied avec la main droite. Répétez avec la jambe gauche.

Variation 4

En soutenant le dos, pliez légèrement le genou droit, croisez la jambe gauche par-dessus et enroulez le pied gauche autour de la cheville droite. Serrez les jambes ensemble. Après être resté dans la posture, répétez en enroulant la jambe droite autour de la jambe gauche. C'est la posture de l'Aigle sur les Épaules.

Variation 5

En soutenant le dos dans la Posture sur les Épaules, pliez le genou droit et posez le pied sur la cuisse gauche en Demi-Lotus. Inspirez. Puis expirez et posez le pied gauche au sol derrière la tête, jambe tendue. Inspirez et levez-la. Répétez en changeant de jambe.

Variations de la Charrue

Les variations de la Charrue (Halasana) assouplissent chaque partie de la colonne vertébrale l'une après l'autre. Alors que vos jambes sont tendues loin de la tête, vous faites travailler la nuque et les vertèbres cervicales ; en rapprochant les pieds de la tête vous étirez le bas du dos. Avant de pratiquer ces variations, mettez-vous dans la posture classique, les mains croisées derrière le dos. Si vous vous sentez raide dans une position au début, ramenez les bras au sol derrière vous pendant un court moment, afin de diminuer les tensions du haut du dos. Si vous vous surprenez en train de respirer vite et superficiellement, détendez-vous dans la posture et portez toute l'attention sur votre respiration, ce qui résoudra vite le problème.

Genoux contre Oreilles et Variation

Dans la Charrue, expirez, pliez les jambes et placez les genoux de chaque côté de la tête. Posez les bras dans le creux des genoux et mettez les paumes des mains sur les oreilles.

Variation. *Les jambes tendues, écartez-les aussi loin que possible l'une de l'autre. Étirez les bras à la verticale entre les jambes, les mains jointes dans la position de la prière. Dans cette posture c'est la colonne vertébrale, et non les épaules, qui porte tout votre poids.*

Variations 1 et 2

1a *Croisez les doigts derrière le dos. Marchez avec les pieds aussi loin que vous pouvez d'un côté, en gardant les genoux tendus et les jambes ensemble, comme illustré à gauche.*
1b *Expirez, pliez les genoux et posez-les près de l'oreille droite. Répétez de l'autre côté.*

2 *(ci-dessous). Marchez avec les pieds aussi loin que possible de la tête. Expirez, pliez les genoux et posez-les au sol. Poussez sur vos bras sans les décoller du sol afin d'éloigner les pieds encore davantage.*

Variation 3 *(gauche)*
En partant de la Posture sur les Épaules, mettez vos jambes en Lotus. Lentement baissez les genoux au sol derrière la tête.

Variations du Pont

La pratique du Sethu Bandhasana et de ses variations fortifie considérablement le bas du dos et l'abdomen. Lever les hanches au maximum vous fait résister à l'attraction de la pesanteur. Dans la Variation 1 la posture est un peu plus facile à tenir, car la jambe levée vous aide à maintenir les jambes surélevées. Quand vous n'aurez plus de difficulté à descendre dans le Pont après la Posture sur les Épaules les deux jambes ensemble, rapprochez les mains des omoplates. Vérifiez que vos coudes ne glissent pas vers l'extérieur au moment de prendre la posture. Quand un asana ou une variation ne demande plus d'effort, cherchez des moyens de les perfectionner. Ne devenez pas satisfait de vous-même. Quel que soit votre niveau vous pouvez toujours progresser. Par exemple, descendez dans le Pont après la Posture sur les Épaules avec une jambe en Demi-Lotus et l'autre allongée.

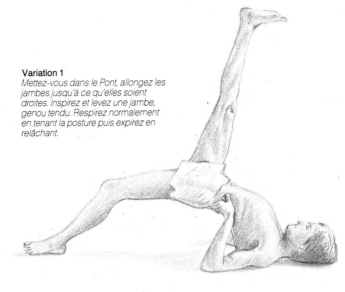

Variation 1
Mettez-vous dans le Pont, allongez les jambes jusqu'à ce qu'elles soient droites. Inspirez et levez une jambe, genou tendu. Respirez normalement en tenant la posture puis expirez en relâchant.

Variation 2
Dans le Pont, ramenez les pieds près des hanches. Saisissez les chevilles avec vos mains et poussez les hanches vers le haut.

Variation 3 *(photo)*
Prenez la position du Lotus dans la Posture sur les Épaules. En soutenant fermement le dos, expirez et descendez lentement les genoux. Gardez la tête et les épaules au sol, et les coudes en place.

Variations du Poisson

Les yogis utilisent le Poisson en Lotus pour flotter sur l'eau pendant longtemps, en associant à la posture une technique particulière de respiration. Lorsque votre colonne vertébrale se cambre dans les variations de Matsyasana, le prana se dirige vers la poitrine et la tête. Croiser les jambes dans le Lotus empêche la dispersion du prana dans les membres inférieurs. Pour augmenter la flexion du dos et ouvrir le thorax afin de dilater les poumons, soulevez-vous davantage en tirant sur les pieds et en poussant sur les coudes. Essayez de porter le sommet du crâne au sol de manière à faire participer les vertèbres cervicales à la flexion.

Variation 1 (Poisson en Lotus)
Allongez-vous avec les jambes en Lotus. En vous appuyant sur les coudes, cambrez le dos jusqu'à ce que vous reposiez sur le sommet du crâne. Saisissez le dessous du pied et essayez de pousser les coudes et les genoux contre le sol.

Variation 2 (Poisson Lié)
En partant du Poisson en Lotus, reportez votre poids sur votre coude gauche et gardez le dos cambré (photo). Passez le bras droit sous le dos. Inspirez et saisissez le pied droit avec la main gauche. Expirez. Répétez avec l'autre bras.

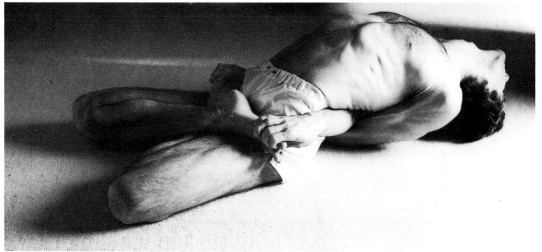

Les flexions avant

Cette série comprend non seulement les asanas et variations de flexion avant mais aussi leur contre-posture : le Plan Incliné. Les flexions avant étirent et allongent la courbe naturelle de la colonne vertébrale en créant un espace entre les vertèbres. Avec le temps et la pratique, cet étirement aide les muscles du dos à maintenir les vertèbres correctement alignées. Elles permettent également un assouplissement de la colonne vertébrale en arrière, car au fur et à mesure que vous progresserez dans les flexions avant les flexions arrière s'amélioreront. Quand vous appuyez sur une partie du corps (votre bras, par exemple) elle devient rouge, car le sang afflue. Les flexions avant compriment les organes abdominaux et leur apportent du sang frais, ce qui maintient tout le système digestif en bonne santé. Cette série dans son ensemble a également un effet bénéfique sur le mental.

Variations de Flexion Avant

Pour maîtriser ces variations il faut apprendre à s'étirer en avant à partir du bas du dos tout en gardant les jambes tendues. Les différentes positions des mains modifient l'étirement de la colonne vertébrale et des épaules pour aller plus loin dans la posture. La variation 5 exige de la force et un grand sens de l'équilibre, tandis que la variation 6 étire énormément le buste et tonifie les organes abdominaux. Essayez de garder ces variations de Paschimothanasana pendant un moment en réajustant le corps afin de l'étirer davantage. L'allongement de la colonne vertébrale peut devenir très important, aussi avec le temps arriverez-vous peut-être à toucher les pieds avec la tête.

Variations 1 et 2

1 *Enroulez les paumes des mains autour des plantes des pieds, les doigts sous les talons. Cette variation augmente l'étirement des tendons de la face arrière des jambes.*

2 *(ci-dessous). Les coudes au sol, croisez les doigts derrière les plantes des pieds.*

Variation 3 *(gauche)*
Coudes au sol, tirez le bras gauche au-delà des pieds et saisissez le poignet gauche avec la main droite. Tenez la posture et recommencez en changeant de main.

Variation 4
Asseyez-vous, les jambes ensemble devant vous. Joignez les paumes des mains dans le dos, pointées vers le haut. Puis étirez-vous en avant à partir du bas du dos, en utilisant les muscles abdominaux et dorsaux. Cette posture ouvre les épaules et vous permet de descendre le dos en pressant doucement avec les mains jointes.

Variation 5
Asseyez-vous, genoux pliés près de la poitrine. Saisissez vos orteils. Basculez légèrement vers l'arrière en prenant l'équilibre sur les fesses. Lentement allongez les jambes. Amenez les cuisses vers la poitrine et rapprochez la tête et la colonne vertébrale des pieds. Pour développer les muscles abdominaux, essayez de lever les jambes avec les mains posées à plat au sol de chaque côté.

Variation 6
Dans la Flexion Avant, effectuez une torsion sur la droite et posez le coude gauche au sol à côté du mollet droit. Aidez-vous du coude gauche pour mieux effectuer la torsion. Puis saisissez le pied droit avec la main gauche et passez la main droite au-dessus de la tête pour saisir le pied gauche. Regardez vers le plafond. Restez dans la posture en respirant normalement. Puis répétez, en effectuant la torsion sur la gauche.

Posture de la Tête aux Genoux

Dans Janu Sirasana, la jambe pliée sert de soutien et d'appui alors que la jambe allongée est étirée par le poids du buste, décontractant ainsi les tendons arrière des jambes. Vous vous apercevrez que vous pouvez aller plus loin dans la flexion avec une jambe levée, car il est plus facile d'étirer un seul côté à la fois. Cette série d'asanas a un effet considérable sur les organes abdominaux. Le massage qu'ils obtiennent dans Janu Sirasana (milieu droite) s'intensifie lorsque la posture est exécutée en Demi-Lotus. Les torsions des variations 2 et 3 travaillent en profondeur, purifiant l'organisme et affinant le corps. Commencez chaque asana en exécutant la flexion sur la jambe droite afin de tonifier le côlon ascendant puis du côté gauche pour tonifier le côlon descendant. Dans la Variation 2 essayez d'ouvrir la poitrine. Une fois que vous exécutez cette posture sans effort, passez à la Variation 3.

1 *Asseyez-vous le dos droit, les jambes tendues devant vous. Pliez la jambe droite et portez le talon vers le périnée, en poussant la plante du pied contre la cuisse. Tirez les bras vers le plafond, paumes des mains jointes ; inspirez.*

2 *(ci-dessous). Expirez et pliez-vous en avant à partir du bas du dos. Encerclez les mains autour du pied et amenez la tête le plus loin possible sur la jambe. Respirez profondément dans la position, puis relâchez-la lentement.*

Variation 1
Mettez le pied gauche en Demi-Lotus. Passez la main gauche derrière le dos et saisissez le pied. Inspirez. Puis expirez, fléchissez le buste vers l'avant sur la jambe droite. Si cette variation est pour vous trop avancée, ne saisissez pas le pied.

Variations 2 et 3
2 *(ci-dessus). Pliez la jambe droite sur le côté, dans le même axe que la jambe gauche. Expirez, fléchissez le buste sur le côté gauche. Saisissez le pied avec les mains en prenant appui sur le coude gauche afin de mieux étirer le bras droit.*
3 *(photo). Lâchez la main gauche, déplacez le coude vers l'extérieur afin de poser la tête au sol, puis ramenez la tête sur la jambe, le visage tourné vers le plafond et saisissez le pied.*

Torsions Jambes Écartées

Un bon étirement est comme un bâillement : si vous ne le faites pas complètement vous êtes insatisfait. Continuez à écarter les jambes tendues doucement, et elles s'ouvriront progressivement, pour exécuter les Torsions Jambes Écartées. Commencez ces deux asanas en écartant les jambes le plus possible ; ouvrez les jambes vers l'extérieur à partir des hanches. Plus elles sont écartées, plus il sera facile d'exécuter la torsion. Essayez d'allonger la colonne vertébrale en vous pliant sur le côté pour amener la tête vers le pied. Une fois dans la posture, tirez les orteils vers vous et poussez sur les talons pour augmenter l'étirement et vous aider à trouver l'équilibre.

Variation 1
Passez la main droite derrière le dos et saisissez l'intérieur de la cuisse gauche. Expirez en fléchissant latéralement le buste sur la gauche. Saisissez le pied de la main gauche.

Variation 2
A partir de la Variation 1, lâchez la main droite et saisissez le pied gauche. Tirez l'épaule et le coude gauches vers l'extérieur, puis posez la tête sur la jambe.

Flexion Avant Jambes Écartées

Dans ces deux variations de Hastha Padasana, vos jambes sont légèrement tournées et étirées par le poids du corps lorsque celui-ci descend. La pesanteur vous aide à rapprocher le buste du sol. Pour éviter un trop grand étirement des jambes au début, portez la plus grande partie du poids du corps sur les mains. Avancez centimètre par centimètre jusqu'à ce que vous puissiez poser les coudes au sol. L'intérieur des cuisses sera suffisamment étiré quand vous pourrez poser le menton et la poitrine au sol.

Variations 1 et 2
1 *Expirez et fléchissez le buste vers l'avant, en avançant les mains sur le sol, jusqu'à ce que les deux jambes et la colonne vertébrale soient étirées au maximum.*
2 *Écartez bien les jambes et saisissez les orteils. Fléchissez en avant, portez le menton et la poitrine au sol et écartez les jambes.*

La Tortue
Pour exécuter Kurmasana, asseyez-vous jambes pliées et écartées, la plante des pieds au sol. Fléchissez le buste en avant et passez les bras sous les genoux, paumes des mains face au sol, doigts dirigés vers l'arrière. Lentement tendez les jambes et avancez le buste près du sol.

La Tortue en Équilibre *(photo)*
Pour exécuter Uthitha Kurmasana, inspirez puis expirez : soulevez la jambe droite et placez-la derrière la tête. Répétez en levant la jambe gauche derrière la tête et croisez les chevilles. Respirez normalement dans la posture. A l'inspiration, soulevez le corps et tenez-vous en équilibre sur les mains.

Le Plan Incliné

Cet asana est la contre-posture des
Flexions Avant, de même que le
Poisson est la contre-posture de la
Posture sur les Épaules. Après avoir
effectué les Flexions avant, vous
redressez le corps et vous laissez
tomber la tête en arrière. Cela étire
toute la face avant du corps, du
sommet du crâne jusqu'aux orteils.
Plus vous levez les hanches, plus
vous étirez et fortifiez les jambes, les
épaules et les bras. Quand vos
hanches seront assez élevées, le
poids du corps se répartira sur la
colonne vertébrale et les muscles
dorsaux. La pratique de ces variations
fortifie chaque partie du corps l'une
après l'autre, et vous fait prendre
conscience de vos déséquilibres
entre le côté gauche et le côté droit.
Au début vous ne serez sans doute
pas à l'aise dans ces postures, et il
vous semblera difficile d'y trouver
l'équilibre. Continuez à les pratiquer,
puis détendez-vous, et
progressivement vous acquerrez la
force nécessaire pour exécuter la
série complète.

1 *Asseyez-vous, les jambes
ensemble devant vous, mains posées
au sol derrière vous, les doigts tournés
vers l'extérieur ; inclinez légèrement le
buste en arrière.*

2 *En vous appuyant sur les paumes
des mains, soulevez les hanches
aussi haut que possible et posez les
pieds à plat sur le sol. Gardez les
jambes droites et laissez tomber la tête
en arrière. Restez dans le Plan Incliné
pendant plusieurs respirations
profondes.*

Variation 1
*En partant du Plan Incliné, inspirez et
levez la jambe droite tendue en
gardant le pied gauche à plat sur le
sol. Restez dans la posture en
respirant profondément, puis relâchez.
Répétez avec la jambe gauche.*

Variation 2
*En partant du Plan Incliné, inspirez et
levez le bras droit ; il est nécessaire de
s'incliner légèrement sur la gauche.
Tenez la posture et répétez avec le
bras gauche.*

Variation 3
En partant du Plan Incliné, reportez le poids du corps sur la main gauche et sur le bord externe du pied gauche. Étirez la jambe et le bras droits vers le plafond. Regardez devant vous en tenant la posture. Relâchez ; répétez de l'autre côté.

Varaition 4
En partant de la Variation 3, saisissez le pied droit avec la main droite. Cette posture est plus facile que la 3. Répétez de l'autre côté.

Variation 5
En partant du Plan Incliné, amenez la jambe droite en Demi-Lotus. Reportez le poids du corps sur la main et le pied gauches et étirez le bras droit vers le haut. Répétez de l'autre côté, après avoir gardé la posture.

Variation 6 *(droite)*
En partant de la variation 3, pliez la jambe droite et saisissez le pied avec la main droite (voir p. 126). Faites pivoter votre corps un peu plus sur la gauche de manière à ce que le buste soit presque face au sol et tirez sur la jambe droite pour rapprocher le pied de la tête. Répétez de l'autre côté.

Les flexions arrière

Après avoir étiré la colonne vertébrale dans les Flexions avant, vous allez maintenant comprimer les vertèbres et étirer toute la face avant du corps, ce qui ouvre le thorax et l'abdomen et favorise la respiration profonde. Nous sommes parfois tellement absorbés par les Flexions avant que nous avons tendance à exclure les autres asanas. Afin de conserver une bonne colonne vertébrale, vous devez maintenir un équilibre entre les Flexions avant et les Flexions arrière. Après une séance particulièrement intense en Flexions avant il est souhaitable de pratiquer une Flexion arrière, de manière à redonner à l'axe vertébral sa position naturelle. Une autre erreur que nous commettons fréquemment est de faire travailler uniquement une partie de la colonne vertébrale, le plus souvent le bas du dos. Prenez et relâchez toujours une posture de manière lente et contrôlée, pour que vous puissiez sentir le déroulement progressif de la colonne vertébrale, de la nuque au sacrum.

Variations du Cobra

Une fois que vos muscles dorsaux se sont développés et que votre colonne vertébrale s'est suffisamment assouplie, vous pouvez prendre la posture Bhujangasana en vous appuyant à peine sur les mains. Puis levez les bras et, en saisissant les genoux ou les pieds avec les mains, étirez votre corps davantage en arrière. Ces variations procurent un étirement parfait du haut du dos en donnant au corps la forme d'un cercle, ce qui assure un circuit complet au flux du prana.

Variations 1 et 2
1 *En partant du Cobra complet, déplacez une main au milieu devant vous. Puis avec l'autre main saisissez le genou. Le corps ainsi soutenu, avec la première main saisissez l'autre genou. Poussez sur les genoux et expirez pour augmenter la courbure de la colonne. Suivez la chronologie inverse pour relâcher la posture.*

2 *(photo). En vous appuyant sur la main gauche, saisissez le pied droit avec la main droite, comme expliqué p. 126. Puis ramenez également le pied gauche dans la main gauche. Le corps ainsi soutenu, mettez la main droite en arrière pour saisir le pied droit. Poussez les pieds vers le haut.*

Variations de la Sauterelle

Dans ces variations, le corps est projeté en avant, ce qui allonge la colonne vertébrale et les jambes, contrairement à la Sauterelle où les jambes sont orientées vers le plafond. Vous pouvez essayer ces postures dès que vous tenez dans Salabhasana sans vous appuyer sur vos bras. Ici les bras poussent les jambes loin des hanches et plient le corps en arrière à partir des vertèbres cervicales et de la nuque. Avant d'exécuter ces variations, étirez les bras et les épaules et poussez le menton en avant sur le sol ; ceci augmentera l'étirement de la colonne vertébrale et réduira la pression exercée sur le menton. Relâchez ces postures lentement en reportant le poids du corps des jambes aux bras.

Variation 1
Allongez les jambes ensemble derrière la tête. Quand les pieds touchent le sol, reportez-y une partie du poids du corps.

Variation 2 *(photo)*
En partant de la Variation 1, écartez les jambes et étirez-les devant vous en poussant sur les talons. Une fois qu'elles sont à l'horizontale, ramenez les jambes ensemble. Pour garder l'équilibre il faut retenir les jambes en arrière suffisamment loin pour compenser le poids des jambes.

Comment saisir le pied en Flexion Arrière

Pour différents asanas, comme l'Arc et le Pigeon, par exemple, on saisit le pied de la manière suivante : Étirez la main droite sur le côté, paume tournée vers le bas. Retournez la main vers la droite de façon que la paume soit face au plafond et le pouce orienté vers l'arrière. Puis en tournant légèrement votre corps sur la droite, étirez le bras en arrière et saisissez la partie externe du pied avec la main droite ; le pouce touche la plante du pied et les doigts sont sur le dessus du pied. Pliez le coude vers le plafond et tirez la jambe vers votre tête. Répétez avec la main et le pied gauches, selon les postures.

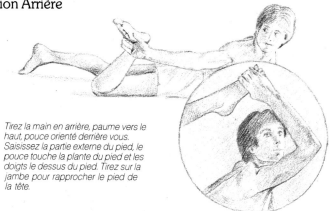

Tirez la main en arrière, paume vers le haut, pouce orienté derrière vous. Saisissez la partie externe du pied, le pouce touche la plante du pied et les doigts le dessus du pied. Tirez sur la jambe pour rapprocher le pied de la tête.

Variations de l'Arc

Si vous avez un jour rêvé de remodeler votre corps en le saisissant avec les mains, ces variations pourront presque vous permettre de réaliser votre rêve. En tirant simplement sur les jambes vous pouvez modifier la nature de la Flexion arrière en rapprochant des parties du corps qui d'habitude ne se touchent jamais. Dans la Variation 3, par exemple, vous rapprochez les pieds des épaules ; dans la Variation 1 les talons viennent se reposer sur le front, votre regard étant orienté vers la plante des pieds. La différence principale entre Dhanurasana (p. 54) et ces variations est dans la façon de saisir les pieds et dans la position des bras, indiquées ci-dessus. Ceci diminue l'étirement des bras au profit d'un plus grand étirement du corps. Lorsque vous tenez fermement les pieds avec vos mains vous pouvez les déplacer facilement vers l'avant ou vers le plafond, comme si vous lanciez doucement un ballon. Quand vous serez plus souple, vous pourrez descendre les mains sur les chevilles ou les tibias afin de densifier la posture.

Variation 1
Pliez la jambe droite. Inspirez et levez le bras droit pour saisir le pied avec la main droite, comme expliqué ci-dessus. En gardant la jambe allongée pour maintenir l'équilibre, inspirez et saisissez également le pied avec la main gauche.

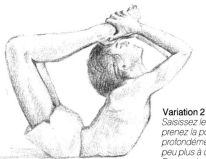

Variation 2
Saisissez le pied (voir encadré) et prenez la posture de l'Arc. En respirant profondément, rapprochez le pied un peu plus à chaque expiration. Progressivement vous arriverez à les amener sur le front.

Variations 3 et 4
3 (photo). En partant de la Variation 1, essayez d'étendre le bras et les jambes vers le plafond.
4 Pour maîtriser Poorna Dhanurasana, vos épaules doivent être détendues. Restez dans la Variation 1 assez longtemps pour préparer le corps. Puis amenez doucement les pieds sur les épaules en maintenant la tête renversée en arrière.

La Roue

« Celui qui pratique la Roue aura une maîtrise parfaite de son corps », a dit Swami Sivananda. La Roue ou Chakrasana est une flexion arrière très dynamique, qui stimule tous les chakras ou centres d'énergie et qui vivifie merveilleusement le corps. Au début, vous devriez vous élever dans la posture depuis le sol, sauf si vous êtes déjà très souple. Si vous partez de la position debout, cambrez le buste en arrière le plus possible, écartez les jambes et pliez les genoux, afin de réduire la distance qui sépare les mains du sol. Surtout maintenez le poids du corps dans les genoux lorsque vous descendez en arrière : de cette manière, si jamais vous perdez l'équilibre, vous tomberez sur les genoux. La distance qui sépare les mains doit être égale à celle qui sépare les pieds. Pour être stable dans la posture, imaginez que votre corps est une table à quatre pieds. Progressivement vous ramènerez les pieds et les jambes ensemble pour fermer le cercle, comme illustré en bas à droite.

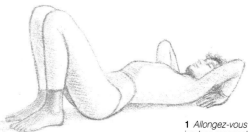

1 Allongez-vous sur le sol et pliez les jambes, rapprochez les pieds des fesses. Levez les bras, posez les paumes des mains sur le sol en pliant les bras en arrière. Rapprochez les mains des épaules et orientez les doigts vers les pieds. Les pieds et les mains sont écartés.

2 Inspirez, soulevez les hanches et en vous appuyant sur les mains posez le sommet du crâne au sol. Respirez profondément.

3 Inspirez, levez les hanches et la tête en tendant les bras. Respirez normalement dans la posture. Avec de la pratique vous pourrez rapprocher les pieds des mains. Si vous êtes sur une couverture, saisissez-la avec les mains et tirez-vous en arrière vers les pieds. Pour relâcher la posture, suivez la chronologie inverse.

Autre technique pour la Roue
Les pieds largement écartés et les mains sur les hanches, cambrez-vous lentement en arrière. Maintenez le poids du corps dans les genoux et poussez les hanches en avant. Inspirez, étirez les bras derrière la tête et descendez sur vos mains. Pour vous relever, reportez le poids du corps sur les genoux, poussez le buste en avant et levez les bras l'un après l'autre ou les deux ensemble.

Variation 1
Cambrez-vous en arrière, faites glisser les mains le long des jambes jusqu'aux chevilles. Puis poussez les hanches en avant et restez dans la posture. Vous pouvez également utiliser cette variation pour revenir de la Roue de base : saisissez fermement une jambe, passez l'autre bras derrière la tête et posez la main au sol. Quand vous êtes en équilibre, répétez avec l'autre bras.

Variation 2 *(photo)*
Pour Eka Pada Chakrasana, placez une jambe au milieu pour former un triangle avec les mains. Inspirez et levez l'autre jambe vers le plafond en poussant sur le talon. Laissez la jambe levée entraîner tout le corps vers le haut. Changez de jambe.

La Posture à Genoux

Supta Vajrasana prépare le corps pour le Diamant (ci-dessous) en étirant les genoux et les cuisses et en donnant une bonne flexion au bas du dos. Quand vous pratiquez la posture, assurez-vous que les épaules et la tête touchent le sol, et gardez les genoux aussi serrés que possible afin de vous étirer au maximum. Laissez le corps descendre vers le sol.

La Posture à Genoux
Asseyez-vous sur les talons et allongez-vous en arrière en vous aidant des coudes l'un après l'autre. Pliez les bras et croisez-les sous la tête.

Le Guerrier

Il est fréquent d'avoir des tensions dans les épaules et le haut du dos. Ceci non seulement vous empêche de bien vous tenir, mais vous raidit et restreint le flux du prana. Veerasana dégage ces régions, en relaxant les muscles et permettant au prana de circuler librement. Elle étire également les jambes et assouplit les chevilles. Si vous n'êtes pas capable d'agripper vos mains au début, utilisez un foulard pour les rapprocher.

Le Guerrier
Asseyez-vous à genoux, la jambe droite repliée sur la jambe gauche. Les talons près du corps, orteils tournés vers l'extérieur et le dos droit. Tournez le bras droit et montez la main dans le dos. Levez le bras gauche, pliez-le et venez saisir l'autre main. Restez dans la posture, en tirant sur la main gauche pour augmenter l'étirement de l'épaule. Répétez avec l'autre bras et l'autre jambe.

La Roue à Genoux

Cette variation de Chakrasana et la posture du Diamant étirent l'avant du corps et fortifient les muscles abdominaux. Pour commencer, exécutez-la en ayant les genoux séparés et relâchez la posture une main après l'autre. Maintenez l'équilibre en vous éloignant légèrement du côté de la main qui se libère. Progressivement rapprochez les jambes et lâchez les deux chevilles en même temps en poussant sur les hanches pour vous aider à vous relever.

La Roue à Genoux
Agenouillez-vous les jambes ensemble, poussez les hanches en avant et cambrez-vous légèrement sur la droite ; saisissez la cheville droite puis la cheville gauche. Laissez la tête tomber en arrière ; respirez normalement. Pour relâcher la posture, poussez le poids du corps vers l'avant. Inspirez et lâchez les mains soit l'une après l'autre, soit les deux en même temps.

Le Diamant

Dans cette posture, Poorna Supta Vajrasana, et dans la variation illustrée sur la photo, vous tendez le corps pour lui donner une forme de diamant. Si vous ne pouvez pas saisir les pieds dans la posture, tirez sur votre couverture pour ramener la tête plus facilement vers les pieds. Si vous pouvez saisir les pieds, tirez doucement avec vos mains et poussez sur les coudes pour rapprocher la tête des pieds. Relâchez ces postures aussi lentement que possible, en donnant au corps le temps de se réadapter.

Le Diamant et Variation
En partant de la Roue à Genoux, cambrez-vous lentement en arrière jusqu'à ce que la tête touche le sol. Si vos hanches sont suffisamment élevées, saisissez les pieds ou les chevilles (voir position des mains p. 126). Restez dans la posture en respirant profondément.

Variation *(photo)*
En partant de la posture du Diamant, allongez les mains pour saisir les genoux. Essayez d'augmenter l'étirement à chaque expiration en poussant sur les genoux.

La Demi-Lune

Dans Anjaneyasana vous pliez le corps en forme de demi-lune, souvent utilisé comme le symbole du yoga. De la souplesse et un assez bon sens de l'équilibre sont nécessaires pour exécuter cette posture, mais à la différence du Pigeon (ci-dessous), vous pouvez sentir dès le début ses effets sur vous. Le poids du corps est réparti sur trois points : le genou, les orteils de la jambe arrière et le pied de la jambe avant. La jambe arrière est le soutien le plus important du corps et vous donne de l'assurance pour vous fléchir en arrière. Pour augmenter l'étirement des jambes, gardez le pied avant à plat sur le sol avec le genou au-delà du pied, et laissez les hanches descendre vers le sol. Ceci vous prépare pour le Grand Écart (p. 140). La Demi-Lune et ses variations ouvrent la cage thoracique, aussi respirez profondément dans ces postures. Étirez-vous vers l'arrière un peu plus à chaque expiration. Exécutez ces postures des deux côtés en alternant la position des jambes.

Variation 1 *(photo)*
En partant de la Demi-Lune, saisissez le pied gauche comme pour le Pigeon (ci-dessous).

La Demi-Lune *(ci-dessus)*
Pliez le genou gauche et allongez la jambe droite en arrière en poussant la cuisse sur le sol. Les mains jointes, inspirez, cambrez le dos et tirez les bras et la tête en arrière.

Variation 2 *(ci-dessus)*
En partant de la Demi-Lune, inspirez, portez les mains en arrière et étirez-les le long de la jambe jusqu'à ce que vous atteigniez la flexion maximale, puis saisissez la jambe et étirez-vous davantage en arrière.

1 *Asseyez-vous le pied posé contre le périnée et la jambe droite étirée derrière vous. Pliez la jambe droite et saisissez le pied comme décrit p. 126.*

Le Pigeon

Dans Kapotha Asana vous poussez la poitrine en avant comme un pigeon qui bombe le torse. Quand vous débuterez dans la posture il vous sera plus facile d'y accéder en fléchissant légèrement le corps sur le côté de la jambe levée, puis de vous redresser une fois que vous êtes en équilibre. Lorsque vous serez plus souple, vous pourrez directement saisir le pied avec les deux mains. La position des jambes illustrée à droite vous procure la base la plus stable, mais vous pouvez également exécuter cette posture avec la jambe tendue comme dans le Grand Écart (p. 140) ou comme dans la Demi-Lune (photo). Plus vous pratiquez les asanas, plus vous aurez l'impression qu'ils se recoupent les uns avec les autres. En fermant les yeux et en concentrant le mental, vous oublierez les différences entre les postures ; tout ce dont vous êtes conscient est une sensation de légèreté et d'énergie.

2 *En vous servant de la main gauche pour tenir en équilibre, tirez sur le pied avec la main droite et cambrez-vous en arrière, en rapprochant la tête de la plante du pied.*

3 *Une fois que vous êtes en équilibre, penchez-vous légèrement sur la droite et saisissez le pied avec la main gauche également. Puis redressez le buste. Répétez en changeant de jambe.*

Les postures assises

Cette série recouvre une grande variété d'asanas : des Torsions Vertébrales et variations du Lotus aux Tir à l'Arc et Grand Écart. Toutes ces postures font travailler plus particulièrement les jambes, les pieds et les hanches, et elles sont toutes dérivées de la même position assise de base. Cette base stable vous évite de rechercher l'équilibre et de soutenir le poids du corps, ce qui vous donne plus d'énergie pour les étirements, les flexions et les torsions. Parce que nous avons l'habitude d'être assis sur des chaises pendant des heures et de porter des chaussures à talons, il y a souvent un travail de préparation à effectuer avant d'apprécier totalement ces asanas. Même quand vous serez plus avancé dans votre pratique du yoga, il vous faudra procéder de manière progressive afin d'éliminer les raideurs provoquées par des années d'alimentation malsaine et de mauvaise tenue du corps. Mais si vous pratiquez régulièrement et faites attention à votre alimentation (p. 78-85), vous parviendrez à éliminer ces bloquages et à bénéficier pleinement des postures assises.

La Torsion Vertébrale

La pratique de Matsyendrasana et de ses variations vous revigore après les Flexions avant et arrière, et assouplit considérablement la colonne vertébrale. Comme dans beaucoup de postures assises, vous vous aidez du sol et vous poussez sur certaines parties du corps pour redresser la posture ; vous tirez sur les chevilles et vous poussez les bras contre les genoux pour augmenter l'étirement. Lorsque vous tordez le buste, imaginez que vous êtes en train d'essorer un tissu mouillé. Cette compression stimule la circulation dans la colonne vertébrale et empêche la stagnation dans les organes internes en éliminant les toxines, et en dispersant les graisses à l'intérieur du corps. Le prana se répand dans toute la zone vertébrale, ce qui vous donne davantage de force et de concentration. Dans la Demi-Torsion Vertébrale (p. 56), vous avez appris combien il était important de garder la colonne vertébrale droite. Ceci devient encore plus fondamental dans ces asanas plus avancés car les torsions sont plus approfondies. Essayez de redresser la colonne vertébrale en effectuant la rotation du buste. Respirez normalement dans ces postures et augmentez la torsion à chaque expiration. N'oubliez pas de refaire chaque asana dans la direction opposée pour obtenir une torsion égale des deux côtés.

Variation 1 *(ci-dessous et photo)*
Asseyez-vous à droite de vos pieds. Levez la jambe gauche et posez le pied gauche près de la hanche droite. Penchez-vous en avant, passez le bras gauche derrière le dos et saisissez la cheville gauche avec la main. Passez le bras droit devant le genou gauche et saisissez le genou droit avec la main droite.

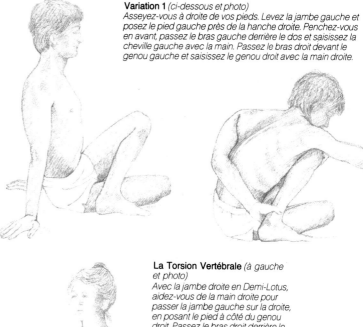

La Torsion Vertébrale *(à gauche et photo)*
Avec la jambe droite en Demi-Lotus, aidez-vous de la main droite pour passer la jambe gauche sur la droite, en posant le pied à côté du genou droit. Passez le bras droit derrière le genou gauche et saisissez le pied droit avec la main droite, en effectuant une torsion sur la gauche. Répétez de l'autre côté.

Variation 2 *(photo de droite)*
En partant de la Torsion Vertébrale, jambe droite en Demi-Lotus, passez la main gauche dans le dos et saisissez la cheville gauche ; la main droite saisit le genou droit. Pour vous aider au début, utilisez une couverture pliée sous la fesse soulevée.

Variations du Lotus

Le Lotus, Padmasana, est une merveilleuse posture qui s'associe à une grande variété d'asanas. Elle densifie le corps dans les asanas, calme le mental et augmente votre pouvoir de contrôle sur le corps. Dans le Lotus les jambes forment un ensemble compact, facile à manier, et une base solide sur laquelle vous asseoir. A nouveau vous utilisez le sol et les membres comme leviers pour amener le corps d'une manière agréable dans des postures d'une grande complexité comme le Fœtus et le Lotus Lié. Le Yoga Mudra tonifie les nerfs vertébraux et est très bénéfique pour le système digestif. Cette posture ainsi que le Lotus Lié participent à l'éveil de la Kundalini. Bien que la Variation 1 ne soit pas strictement une posture assise, nous l'avons incluse à ce chapitre pour enlever les barrières qui existent sans doute dans votre esprit entre les asanas des différentes séries. Chaque asana ou variation comprend des éléments de plus d'une série. Le Scorpion en Lotus peut être considéré comme une variation de la Posture sur la Tête, d'une posture d'équilibre ou d'une posture assise. Le Lotus classique est exécuté avec la jambe gauche sur le dessus, mais pour l'équilibre vous devriez également répéter chacune de ces variations avec la jambe droite dessus. Vous sentirez la différence dans le bas du dos, lorsque vous alternez la position des jambes.

Variation du Lotus 1 *(photo)*
Mettez-vous dans la Posture sur la Tête en Lotus, puis procédez comme pour le Scorpion. N'ayez pas peur de tomber, vos réflexes libéreront automatiquement la jambe du dessus en premier.

Le Yoga Mudra *(à gauche)*
1 La colonne vertébrale redressée, serrez les deux poings et posez-les derrière les talons, les pouces orientés vers l'extérieur. Pressez-les doucement mais fermement contre le bas de l'abdomen. Inspirez.

2 En expirant, penchez-vous en avant et posez la tête au sol. Gardez la posture. Avec une respiration abdominale profonde, vos poings pressés par les talons massent les organes internes.

Le Lotus Lié
En expirant, effectuez une légère torsion vers la droite et passez la main droite derrière le dos pour saisir le gros orteil du pied droit. Inspirez. Expirez et effectuez une légère torsion sur la gauche, passez la main gauche dans le dos pour saisir l'orteil gauche. Redressez le buste, et respirez profondément. Cette posture s'appelle Bandha Padmasana.

Variation du Lotus 2
Les jambes en Lotus, aidez-vous de vos mains pour vous mettre sur les genoux, puis allongé sur le ventre. Arrêtez-vous ici si c'est nécessaire et reposez la tête contre les bras repliés (p. 126). Puis posez les mains paumes contre le sol sous les épaules et procédez comme dans le Cobra (p. 50). Gardez les hanches au sol.

Le Coq *(photo)*
Pour Kukutasana, insérez les mains entre les mollets et les cuisses, inspirez et appuyez sur les paumes des mains en soulevant les jambes. Gardez le buste aussi droit que possible.

Le Fœtus *(photo)*
Pour Garbhasana, insérez les mains dans les jambes entre les mollets et les cuisses, inspirez et appuyez sur les paumes des mains en soulevant les jambes. Gardez le buste aussi droit que possible.

Le Tir à l'Arc

Dans Akama Dhanurasana, vous tirez une jambe loin en arrière comme dans le Tir à l'Arc. En fait, quand vous êtes dans la posture classique (en haut), vous pouvez lâcher la jambe comme une flèche à l'expiration, en propulsant le talon en avant. Dans tous ces asanas un côté du corps est fléchi en avant, alors que la hanche et les articulations de l'épaule du côté opposé s'ouvrent. Les muscles des jambes sont étirés, les bras et les jambes sont fortifiés, ce qui fait du Tir à l'Arc une préparation utile à la Posture des Jambes derrière la Tête (en bas). Essayez de redresser le corps et de regarder droit devant vous en tenant ces postures ; respirez lentement et profondément. Ceci non seulement vous aidera à tirer davantage la jambe en arrière, mais vous permet également de maintenir l'équilibre bien plus facilement.

Le Tir à l'Arc
Les deux jambes tendues en avant, penchez-vous et saisissez avec les deux mains les gros orteils. En gardant la jambe gauche tendue, tirez sur le pied droit pour l'amener près de l'oreille.

Variation 2 *(photo)*
Saisissez le gros orteil gauche avec la main droite et vice versa, en croisant le bras gauche au-dessus du droit. Puis pliez le genou gauche et rapprochez le pied de la poitrine en orientant le coude droit vers le plafond.

Variation 1
Mettez-vous dans la posture, mais tirez le pied droit vers le plafond en redressant la jambe.

La Posture des Jambes derrière la Tête

Pour préparer votre corps à ces asanas, essayez tout d'abord cet exercice d'échauffement : pliez la jambe droite parallèlement à la poitrine et saisissez avec la main droite le bord extérieur du pied droit. Ramenez le pied droit dans le coude gauche. Encerclez votre jambe et bercez-la de droite à gauche. Puis en saisissant la cheville, amenez la plante du pied à la poitrine. Levez ensuite le pied et posez les orteils sur le front, puis sur l'oreille. Répétez avec la jambe gauche. Avec de la pratique vous parviendrez à mettre la jambe derrière la tête, et progressivement votre corps glissera vers l'avant. Finalement la jambe restera maintenue derrière l'épaule, et vous n'aurez plus besoin de la tenir avec vos mains. Vous pouvez également venir dans cette posture en étant allongé, ce qui la rend plus facile. Cet asana comprime considérablement les organes abdominaux. Soulevez la jambe droite d'abord pour masser le côlon ascendant, puis la jambe gauche pour masser le côlon descendant. Respecter cet ordre est important.

La Posture des Jambes derrière la Tête
1 *(droite). Asseyez-vous avec le talon gauche contre le périnée, soulevez doucement la jambe droite et passez le bras et l'épaule derrière la jambe, en poussant le pied vers le plafond à l'aide de la main gauche, comme l'indique l'illustration.*
2 *(en bas). Pliez la tête en avant et tirez sur le pied derrière la tête et l'épaule. Joignez les mains dans la position de la prière. C'est Eka Pada Sirasana.*

Variation 1 *(photo)*
Pour Omkarasana, mettez la jambe gauche en Demi-Lotus. Penchez-vous en avant et soulevez la jambe droite derrière la tête. Prenez appui sur la main droite et essayez de vous redresser.

Variation 2 *(photo de droite)*
Pour Dwipada Sirasana, allongez-vous sur le dos et amenez une jambe puis l'autre derrière la tête en croisant les chevilles.

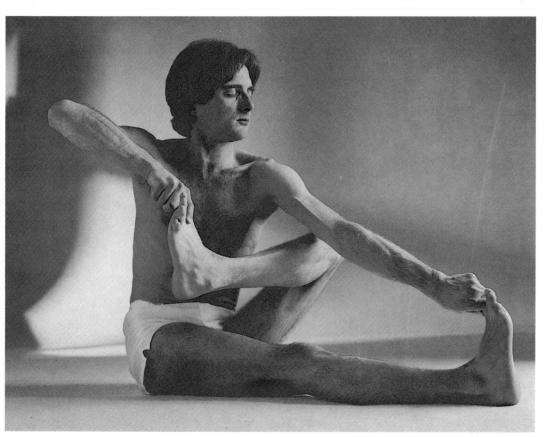

Le Grand Écart

La seule manière de maîtriser Anjaneyasana, le Grand Écart, est la répétition constante. Si vous essayez une fois dans l'année vous n'y parviendrez jamais, mais si vous l'intégrez à votre séance quotidienne vos jambes s'écarteront progressivement. Si cette posture donne l'impression d'être excessive, elle peut néanmoins vous faire comprendre que les jambes sont capables d'un étirement encore plus grand, même si les deux jambes restent à quelques cm du sol, les genoux tendus. Une fois que vous êtes à l'aise dans le Grand Écart, cette posture vous apportera une sensation merveilleuse d'équilibre et de symétrie. C'est un asana très stable, qui fait reposer votre corps sur la base la plus étendue. Les Grands Écarts ouvrent la porte à beaucoup d'autres postures : certains asanas avancés en position inversée ou d'équilibre deviendront plus accessibles quand vous serez capable d'étendre la jambe au sol ou de la soulever pour prendre ces postures. Et puisque la pratique des Grands Écarts améliore la circulation dans les jambes, elle est très bénéfique pour toutes les postures debout. Dès que vous aurez maîtrisé le Pigeon et les Grands Écarts vous pourrez combiner les deux et exécuter la variation 3. Cet asana fera ressortir toute asymétrie entre le côté gauche et le côté droit et vous donnera la possibilité de les rectifier. Par exemple, si votre côté droit est plus souple, tirez un peu plus quand vous tenez le pied gauche. Lorsque vous serez capable de faire cette variation, il ne sera plus nécessaire de pratiquer le Pigeon avec les jambes dans une autre position, car appuyer sur la jambe avant dans les Grands Écarts vous donne la flexion arrière la plus complète.

1 *En soutenant le poids du corps avec les mains, étendez une jambe en avant en faisant glisser le talon ; l'autre jambe glisse en arrière sans plier le genou.*

2 *Progressivement, diminuez l'appui sur les mains et descendez doucement par petits mouvements de ressort, pour écarter les jambes davantage. Quand les deux jambes sont à plat sur le sol, mettez les mains dans la position de la prière.*

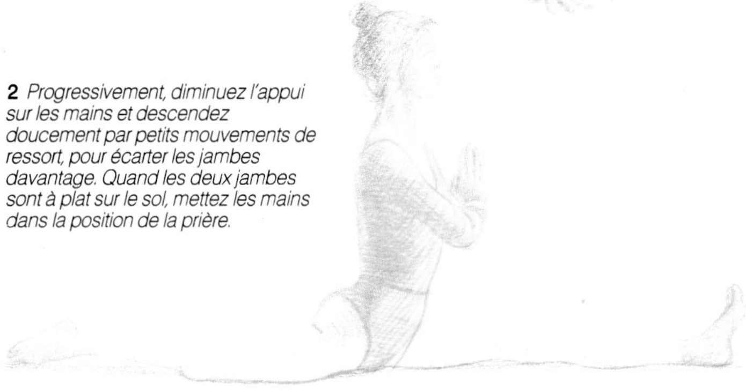

Variation 4 *(photo)*
Saisissez les orteils du pied gauche avec la main gauche puis pliez le genou droit et saisissez le pied avec la main droite.

Variation 1 *(ci-dessous)*
Dans le Grand Écart, les mains dans la position de la prière, inspirez. Puis expirez et penchez-vous en avant en étirant les bras et venez poser le buste sur la jambe avant.

Variation 2 *(droite)*
Les jambes dans le Grand Écart et les mains dans la position de la prière, expirez. Puis inspirez et cambrez le buste en arrière en amenant les bras derrière vous. Utilisez la respiration pour vous équilibrer dans la posture et concentrer le mental.

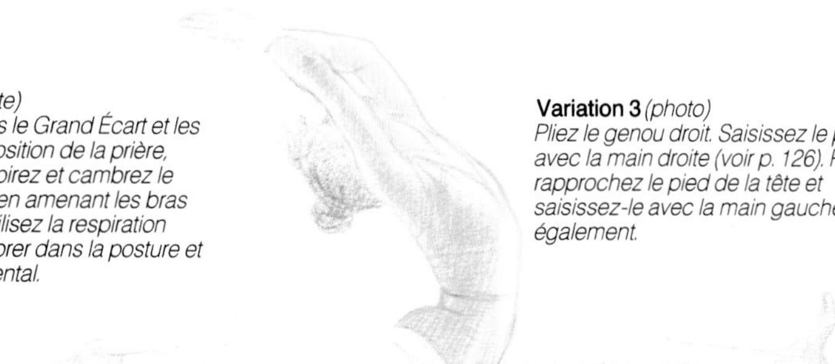

Variation 3 *(photo)*
Pliez le genou droit. Saisissez le pied avec la main droite (voir p. 126). Puis rapprochez le pied de la tête et saisissez-le avec la main gauche également.

Les postures d'équilibre

Il est plus facile de rester en équilibre en répartissant le poids du corps sur une surface étendue ou sur plusieurs points (comme le triangle dans la Posture sur la Tête). Pour tenir en équilibre sur une jambe ou sur les mains, le secret est de multiplier le nombre des points d'appui. Dans l'Arbre, par exemple, imaginez que votre corps repose sur deux points d'équilibre et non sur un ; au début alternez le poids du corps entre les orteils et les talons, jusqu'à ce que vous trouviez votre équilibre. Comme pour tous les asanas, il est fondamental d'avoir les pieds nus, de manière à pouvoir écarter les orteils et vous accrocher au sol, pour plus de stabilité. En pratiquant les postures d'équilibre, fixez le regard sur un point, peut-être sur le mur ou une tâche de poussière sur le sol. Tel un pêcheur qui lance son hameçon, reliez-vous mentalement à ce point par un fil, de manière à y concentrer toute votre attention.

Le Paon

Garder l'équilibre dans Mayoorasana, le Paon, exige de la force et une totale concentration. Quand l'asana est correctement exécuté, la tête, le buste et les jambes forment une ligne droite parallèle au sol. La posture est très bénéfique pour la digestion, avant même que vous ne soyez capable de vous maintenir en équilibre sur les mains, car le poids du corps appuie les coudes contre le haut de l'abdomen, et masse le pancréas et la rate. Quand vous serez avancé dans la posture, vous pourrez essayer de la pratiquer en changeant la position des mains : soit utilisez les deux poings serrés, soit posez les mains au sol, les doigts orientés vers la tête et non vers les pieds.

1 *Asseyez-vous sur les talons, les genoux écartés, posez les paumes des mains au sol, les doigts orientés vers les pieds. Poussez sur les coudes et les avant-bras.*

2 *En freinant avec les bras, penchez-vous en avant pour poser le sommet du crâne au sol. Gardez les coudes ensemble et pressez-les contre le haut de l'abdomen.*

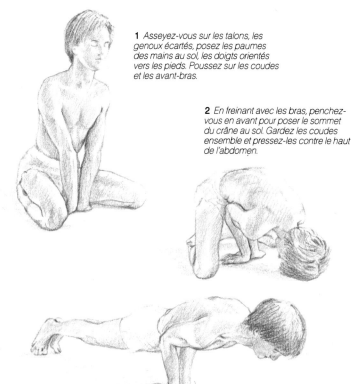

3 *(droite). Etirez les jambes l'une après l'autre, les genoux ne touchent pas le sol et les pieds se touchent. Le poids devrait être réparti sur les orteils, les mains et la tête. Puis soulevez la tête.*

4 *(gauche). Inspirez et laissez-vous descendre légèrement en avant. Gardez les jambes tendues, restez dans la posture aussi longtemps que possible en respirant normalement. Puis expirez, et relâchez en posant les pieds au sol.*

Variation 1 *(photo)*
Mettez-vous en Paon, comme expliqué ci-dessus, mais à l'étape 3, au lieu de lever la tête, posez le menton au sol. Levez les deux jambes à la verticale comme dans la Sauterelle : c'est dans cette position que la posture ressemble à un paon qui étale ses plumes.

La Posture sur les Mains

Comme pour le Scorpion, apprivoiser la Posture sur les Mains (Vrikshasana) est plus une question de pensée positive que d'équilibre. Imaginez que les bras sont des jambes, et écartez les doigts pour agrandir la base et vous accrocher au sol. Au début essayez de pratiquer l'asana contre un mur, si vous avez peur de tomber. Pour vous mettre dans la posture, tendez les coudes et posez les mains à 50 cm au moins du mur, en laissant les pieds s'appuyer contre le mur. Puis décollez les pieds du mur, essayez de trouver votre équilibre, et observez la sensation du corps dans l'espace. Dès que vous avez confiance en vous, abandonnez le mur. Avec le temps vous arriverez même à marcher sur les mains.

Variations du Corbeau

Ces postures sont bien plus simples à réaliser qu'elles n'en ont l'air. Le secret est de se servir des bras pour former une base solide, afin de porter le poids des jambes. Quand vous maîtriserez le Corbeau de base (p. 60), vous pourrez fortifier le buste en travaillant sur un côté du corps à la fois et en essayant de tendre les jambes. Il vous sera plus facile de maintenir l'équilibre dans les Variations 1 et 3 si vous vous penchez légèrement sur le côté opposé à celui où se trouvent les jambes. Répétez toujours ces variations à droite et à gauche des mains. Ces postures vous aideront à développer dans les mains et les poignets la force nécessaire à la pratique des Postures sur les Mains et vous donneront de l'assurance dans l'équilibre. Avec la pratique vous pourrez même défaire les jambes du Corbeau et les amener dans la Posture sur la Tête.

Posture sur les Mains
Penchez-vous en avant, et posez les paumes des mains à plat sur le sol à la largeur des épaules. En gardant les coudes tendus, baissez-vous de telle sorte que les épaules soient au-delà des mains. Sur une inspiration, jetez une jambe derrière la tête, l'élan entraînera ensuite l'autre jambe. Soyez prêt à saisir le point d'équilibre avec les jambes lorsque la deuxième jambe se lève. Une fois que l'équilibre est trouvé, vous pouvez déplacer les jambes dans la posture sans tomber en arrière.

Corbeau Variation 1
Les mains dans la posture du Corbeau, marchez avec les deux jambes vers la droite, pliez les genoux et posez-les sur l'appui que constitue le bras droit. Penchez-vous en avant et légèrement sur la gauche quand vous soulevez les jambes.

Variation 2
Écartez et étirez largement les jambes, posez les mains au centre et venez mettre le bord interne des cuisses sur les bras. Penchez-vous en avant et levez les jambes tendues.

Variation de la Posture sur les Mains
(photo)
Mettez-vous dans la Posture sur les Mains, puis pliez les genoux, en rapprochant progressivement les pieds de la tête. Gardez l'équilibre sur toute la surface des mains.

Variation 3 *(à droite)*
Les deux jambes allongées sur la gauche, insérez-y la main gauche. Croisez les chevilles (c'est plus facile de les soulever ainsi), puis penchez-vous vers l'avant et légèrement sur la droite. Soulevez les jambes, comme l'indique l'illustration à droite. Cette posture s'appelle Vakrasana.

L'Aigle

Cette posture doit son nom à Garuda, l'aigle mythique (voir p. 110) qui avait le bec et les ailes d'un oiseau, mais le corps d'un homme. L'Asana Garuda fait pour les bras et les jambes ce que la Torsion Vertébrale fait pour la colonne vertébrale, en tordant et comprimant d'abord un côté puis l'autre, pour augmenter la circulation dans les membres. C'est un excellent remède contre les varices : la jambe qui porte le poids du corps étant pliée, les muscles des jambes sont fortifiés. Comprimer les bras et les jambes ensemble dans la posture améliore la circulation et développe votre conscience des extrémités, des orteils jusqu'au bout des doigts. Restez dans la posture en respirant profondément, puis répétez en changeant de bras et de jambes.

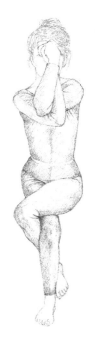

L'Aigle
Mettez-vous debout sur la jambe droite, légèrement pliée. Entourez la jambe gauche autour du genou droit de façon que les orteils du pied gauche soient à l'intérieur de la cheville droite. Amenez l'avant-bras droit devant votre visage et entourez le bras gauche autour du bras droit en croisant les mains. Rapprochez autant que possible les mains de la tête et restez dans la posture, en serrant les bras et les jambes ensemble.

L'Arbre

La pratique de cet asana apporte un merveilleux sentiment de paix intérieure. En vous tenant sur une jambe, l'autre jambe bien serrée en Demi-Lotus, les mains jointes dans la position de la prière, vous pouvez facilement rester en équilibre. A l'origine, les yogis restaient dans la posture de l'Arbre pendant plusieurs jours sans s'arrêter ; cela constituait pour eux un « tapas » ou austérité. Encore aujourd'hui, nombreux sont ceux qui méditent dans cette posture sur les bords du Gange et en d'autres lieux sacrés. Pratiquez l'Arbre par étapes : avant de mettre la jambe en Demi-Lotus, mettez-vous en équilibre avec la jambe à peine soulevée puis pressez le pied sur l'intérieur de la cuisse opposée. (Tirer en arrière avec la jambe debout vous aidera également à garder l'équilibre.) Respirez profondément dans ces postures, et répétez-les de chaque côté. Se lever à partir de l'Arbre à genoux ou accroupi demande beaucoup de concentration et de maîtrise. Relâchez les asanas très lentement en utilisant votre respiration pour vous pousser vers le haut. Comme pour toutes les Postures d'Équilibre, fixez le regard sur un point devant vous afin de mieux vous concentrer. Une fois que vous pouvez tenir ces postures sans faire d'effort, pratiquez-les les yeux fermés.

L'Arbre et Variations
Pour la posture classique (à gauche), mettez une jambe en Demi-Lotus, joignez les mains dans la position de la prière, puis soulevez-les au-dessus de la tête.

Posture sur un Genou et un Pied
(ci-dessous)
Dans Vatyanasana, pliez la jambe d'appui, penchez-vous légèrement en avant et posez le genou au sol.

Posture sur les Doigts de Pieds
Dans Padandgushtasana (photo), pliez la jambe d'appui et asseyez-vous doucement sur le talon.

Le Grand Écart Debout

Ces variations de Anjaneyasana sont à la fois des postures d'équilibre et de flexion avant, car elles partagent les bénéfices des deux séries. Contrairement au Grand Écart assis, où la pesanteur vous aide à augmenter l'étirement, ici vous travaillez contre la pesanteur, et vous utilisez les bras pour tirer la jambe levée et porter son poids. La pratique de ces asanas augmente votre force, votre souplesse et votre sens de l'équilibre. Écartez les orteils du pied d'appui pour agripper le sol, ce qui vous donne une base plus large. Quand vous prenez la posture, tirez lentement sur les jambes et concentrez-vous : poussez sur la jambe d'appui et essayez de garder les jambes et le buste droits en allongeant le corps vers le plafond.

Variation du Grand Écart Debout
*1 Saisissez le pied gauche avec les deux mains, jambes pliées. Puis tendez la jambe et tirez-la vers vous.
2 (photo). Pliez le genou droit vers l'extérieur. Allongez la main droite en suivant le bord intérieur de la jambe et saisissez le talon. Tendez la jambe vers le plafond. Passez la main gauche derrière la tête et tirez sur le pied droit pour le rapprocher de la tête.*

La Posture du Seigneur Nataraja

Nataraja est un des noms donnés à Siva, le Danseur Cosmique, qui est souvent représenté dans cette position. On raconte que lorsque Siva posera le pied au sol on assistera à la destruction de l'univers et à la création d'un nouveau monde. Quand vous prenez Natarajasana ou la variation, penchez-vous en avant pour vous aider à tirer la jambe vers le plafond, puis essayez de redresser le corps à nouveau. Maintenez la jambe d'appui ferme et droite pour stabiliser la posture. Quand votre tête est à la verticale, vous cherchez avant tout à l'étirer vers le plafond ; quand vous laissez tomber la tête en arrière, la posture se transforme en une flexion arrière et demande plus d'équilibre et de maîtrise. Dans la posture classique, une seule main tient le pied levé, mais avec les deux mains l'allongement est plus complet.

Natarajasana et Variation
Pliez la jambe gauche derrière vous, saisissez la cheville avec la main gauche (comme p. 54) et levez-la au maximum. Changez la position des mains (voir p. 26), étirez la main droite en arrière pour qu'elle saisisse également le pied. Laissez tomber la tête en arrière sur le pied.

Variation (photo)
Procédez comme ci-dessus mais au lieu de rapprocher la tête du pied, tirez le pied au-dessus de la tête. Restez droit.

La Posture Debout

Ces asanas demandent — et développent — de la souplesse et de la force. Pour cette raison, vous les trouverez bien plus faciles si vous êtes déjà capable d'exécuter le Grand Écart. Dans la Variation 1 (en haut) essayez de former une ligne droite des doigts au pied arrière, en donnant ainsi au corps la forme d'un « T ». Dans la Variation 2, étirez les mains loin l'une de l'autre et veillez à garder le pied arrière à plat sur le sol. Vous pouvez utiliser cette posture pour prendre la Variation 1. Penchez le buste en avant, en rapprochant la poitrine des genoux. Étirez les deux bras en avant, puis tendez la jambe avant et soulevez la jambe arrière. La pratique régulière de ces postures dans l'immobilité affermira vos jambes, bras et hanches. N'oubliez pas de les exécuter sur les deux côtés.

Variation 1
Les pieds largement écartés, orientez le pied gauche vers la gauche et le pied droit légèrement vers la gauche. Tournez-vous sur la gauche. Joignez les paumes des mains au-dessus de la tête et levez la jambe droite. Puis penchez-vous en avant, et tendez la jambe levée.

Variation 2
Procédez comme ci-dessus, mais pliez la jambe gauche de manière que la cuisse soit parallèle au sol, en gardant la jambe droite tendue et le corps droit. Étirez le bras gauche en avant et le bras droit vers l'arrière et regardez dans la direction du bras gauche.

La Posture de la Tête aux Pieds

Au fur et à mesure que vous développerez votre sens de l'équilibre, vous deviendrez de plus en plus sensible au rôle vital que jouent les pieds. Si vos pieds sont raides et immobiles, vous ne serez pas capable de bien agripper le sol avec les orteils, ni de vous tenir debout correctement. En rapprochant la tête des pieds dans Pada Hasthasana vous devenez plus conscient de cette partie du corps si souvent sous-estimée. Étirer les bras en arrière vous aide à maintenir l'équilibre et vous permet de vous pencher en avant en gardant le dos droit.

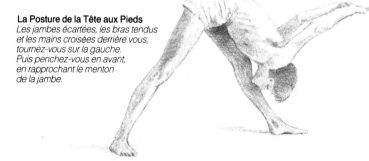

La Posture de la Tête aux Pieds
Les jambes écartées, les bras tendus et les mains croisées derrière vous, tournez-vous sur la gauche. Puis penchez-vous en avant, en rapprochant le menton de la jambe.

Variation
Écartez les jambes davantage, puis procédez comme ci-dessus. Mais en vous penchant en avant, pliez le genou et essayez de rapprocher le nez des orteils. Tirez sur vos bras.

Variations du Triangle

Afin d'atteindre la souplesse que demande les asanas plus avancés, il est important d'étirer et de tonifier les deux côtés du corps. Ces variations de Trikonasana font effectuer une torsion à la colonne vertébrale et apportent un étirement puissant aux côtés du corps.

Dans chacune des postures, trois points sont fondamentaux : la main tendue, la main et le pied qui se touchent, et le pied arrière. Si vous reliez ces points par un fil, vous pouvez former un triangle, d'où son nom. Ici, vous exercez à nouveau votre sens de l'équilibre, surtout dans les Variations 1 et 3, quand les jambes sont en direction opposée à celle du buste. Vérifiez que la cuisse avant est parallèle au sol et que la jambe arrière est tendue dans les Variations 2 et 3. Répétez toutes les variations, et consacrez autant de temps à chaque côté du corps.

Variation 1
Écartez les jambes à environ un mètre l'une de l'autre, le pied gauche tourné vers la gauche, le pied droit tourné légèrement vers la gauche. Inspirez. En expirant, effectuez une torsion sur la gauche et pliez le buste en avant, en posant la paume de la main droite sur le côté extérieur du pied gauche. Étirez le bras gauche vers le plafond et regardez les doigts de la main gauche.

Variation 2
Mettez les jambes en position comme ci-dessus, mais encore plus écartées. Puis pliez le genou gauche, amenez l'aisselle gauche sur le genou et posez la paume de la main gauche sur le sol à l'intérieur du pied gauche. Étirez le bras droit le long de l'oreille droite, en formant une ligne droite de la main droite au pied droit. Regardez le plafond en tenant la posture.

Variation 3
En partant de la Variation 2, faites pivoter le corps dans la direction opposée, en amenant l'aisselle droite sur le genou gauche et la paume de la main droite au sol, à l'extérieur du pied gauche. Étirez le bras gauche près de l'oreille gauche et regardez vers le haut.

Les séries d'asanas

Ce tableau vous propose une vue d'ensemble de tous les asanas du livre. Consultez-le au moment de décider quels asanas vous allez pratiquer, exactement comme lorsque vous regardez une carte pour choisir la route à prendre. Les asanas de la Séance de Base sont illustrés en noir, pour les différencier des postures plus avancées (en rose) exposées dans le chapitre « Asanas et Variations ». Toutes les variations des asanas de base et des postures plus avancées sont très rapidement décrites, chacune à l'intérieur de son propre cycle. Naturellement pour apprendre les asanas et variations plus avancés, lisez les instructions de la page correspondante avant d'utiliser les versions réduites ici (celles-ci sont destinées à vous rappeler les postures mais ne doivent pas être considérées comme des directives). Il n'y a pas deux corps semblables, un asana facile à exécuter pour un élève demandera peut-être plus de travail pour un autre. Pour cette raison il est impossible d'établir une suite de postures intermédiaires ou avancées. Vous devriez simplement pratiquer à votre propre rythme, en veillant toujours à bien équilibrer les asanas que vous choisissez.

Les Postures sur la Tête
(102-103)
Variations des Jambes :
1 *Exercice pour les deux Jambes*
2 *Pied à la Main*
Variations des Jambes sur la Tête :
1 *Grand Écart*
2 *Jambes au sol*
3 *Grand Écart au sol*
4 *Jambes en avant-arrière*
(104-105)

Le Scorpion
Variations du Scorpion :
1 *Jambes à la verticale*
2 *Jambes à l'horizontale*
(106-107)
Variations des Bras sur la Tête :
1 *Bras pliés*
2 *Bras tendus*
3 *Bras repliés à la tête*
(108-109)
Posture sur la Tête en Lotus :
Lotus dans la Posture sur la Tête
Variation : *Torsion des Jambes en Lotus*
Posture inversée pour une Jambe
1 *Roue sur la Tête*

Postures sur les Épaules
(110-111)
Variations des Bras et des Jambes :
1 *Jambe au sol*
2 *Jambe pliée, bras tendu*
3 *Bras le long du corps (Posture sur les Épaules Complète)*
4 *Aigle sur les Épaules : Torsion des Jambes*
5 *Jambe au sol, Jambe en Demi-Lotus (Charrue en Demi-Lotus)*

(112-113)
Variations de la Charrue :
1 *Genoux sur le côté*
2 *Genoux derrière la tête*
3 *Charrue en Lotus Genoux aux oreilles*

(114-115)
Variations du Pont :
1 *Une jambe levée*
2 *Hanches levées, chevilles saisies*
3 *Pont en Lotus*

Variations du Poisson :
1 *Poisson en Lotus*
2 *Poisson Lié*

Les Flexions Avant
(116-117)
Variations de Flexion Avant :
1. *Bras tendus, doigts sous les talons*
2 *Coudes au sol, doigts croisés derrière la plante des pieds*
3 *Main saisit poignet derrière pied*
4 *Main en position prière derrière dos*
5 *Équilibre sur les Fesses*
6 *Torsion en Flexion Avant*

(118-119)

Posture de la Tête aux Genoux

Variations de la Tête aux Genoux :
1 *Mains derrière dos tenant pied*
2 *Flexion Latérale*
3 *Flexion Latérale, tête au sol*

(120-121)
Variations Grand Écart :
1 *Main derrière dos sur cuisse, buste sur jambe*
2 *Deux mains aux pieds, dos sur jambe*
Variations des Bras et Jambes :
1 *Jambes écartées, buste en avant (Flexion avant en Grand Écart)*
2 *Jambes écartées, buste en avant, mains aux pieds*

La Tortue

La Tortue en équilibre :
Chevilles derrière tête, équilibre sur mains

(122-123)

Le Plan Incliné

Variations du Plan Incliné :
1 *Lever une jambe*
2 *Lever un bras*
3 *Lever Jambe et Bras*
4 *Lever jambe et bras, tenir pied*
5 *Lever jambe et bras en Demi-Lotus*
6 *Saisir pied derrière tête (Plan Incliné avec Natarajasana)*

Les Flexions Arrière

(124-125)
Variations du Cobra :
1 *Mains aux Genoux*
2 *Mains tenant pieds*

Variations de la Sauterelle :
1 *Pieds au sol*
2 *Jambes horizontales*

(126-127)
Variations de l'Arc :
1 *Une jambe tenue, une jambe tendue (Demi-Arc)*
2 *Pieds derrière tête*
3 *Pieds derrière tête, bras et jambes en haut*
4 *Pieds aux épaules*

(128-129)

La Roue

Variations de la Roue :
1 *Mains sur pieds*
2 *Une jambe levée (Eka Pada Chakrasana)*

(130-131)

La Posture à Genoux

Le Guerrier

La Roue à Genoux :
Sur les genoux, saisissant chevilles

Le Diamant

Variation du Diamant :
Mains tiennent pieds

(132-133)

Demi-Lune

Variations de la Demi-Lune :
1 *Saisissant pied arrière (comme dans Pigeon)*
2 *Bras tendus sur jambe*

Le Pigeon

Les Postures Assises
(134-135)

La Torsion Vertébrale

Variations de la Torsion Vertébrale :
1 *Tenant cheville*
2 *Tenant cheville derrière dos en Demi-Lotus*

(136-137)
Variations du Lotus :
1 *Lotus en Scorpion*
2 *Lotus en Cobra*
Le Yoga Mudra :
Poignets dans abdomen, flexion avant
Le Lotus Lié :
Mains tenant orteils derrière dos

Le Coq

Le Fœtus

(138-139)

Le Tir à l'Arc

1 *Pied tendu au-dessus tête*
2 *Mains tenant autre pied*

Posture des jambes derrière Tête

Variations de jambes derrière Tête :
1 *Jambe en Demi-Lotus*
2 *Allongé sur dos, deux jambes derrière tête*

Grand Écart

1 *Flexion avant*
2 *Mains dans position prière, flexion arrière*
3 *Pied à tête, bras à orteil*
4 *Comme 3, saisissant jambe arrière pliée (Écart du Pigeon)*

Les Postures d'Équilibre

(142-143)

Le Paon

Variation du Paon :
Jambes levées en Sauterelle, menton au sol
(144-145)

Posture sur les Mains

Variation sur les Mains :
Pieds à tête (Scorpion sur Mains)
Variations du Corbeau :
1 *Jambes sur côté*
2 *Jambes écartées*
3 *Jambes sur côté autour bras*

(146-147)

L'Aigle

L'Arbre

Posture sur un Genou et un Pied :
Genou au sol en Demi-Lotus
Posture sur les Doigts de Pied :
Demi-Lotus, sur talon
(148-149)
Variations du Grand Écart Debout :
1 *Jambe levée devant, main tient pied*
2 *Jambe levée sur côté, bras derrière tête tient pied*

Seigneur Nataraja

Variation de Nataraja :
Tête, nuque et colonne vertébrale droites

(150-151)

Posture Debout

Variations Debout :
1 *Équilibre sur une jambe*
2 *Étirement bras et jambe*

Posture de la Tête aux Pieds

Variation Tête aux Pieds :
Jambes écartées, pliées, tête à orteil

Variations du Triangle :
1 *Torsion en arrière*
2 *Jambes plus écartées, genou sous bras*
3 *Comme 2, torsion arrière*

Kriyas

Le Yogi considère son corps comme un véhicule grâce auquel il évolue vers un état de conscience plus élevé. Pour bien fonctionner, ce véhicule doit être purifié à l'intérieur comme à l'extérieur. Nous lavons nos mains, nous devrions aussi nettoyer les conduits internes, qui sont en fait des prolongements de la peau. Les six kriyas sont des exercices de purification qui nettoient ou tonifient les parties du corps que nous négligeons souvent. Il y a : Kapalabhati (p. 72) ; Tratak (p. 95-97) ; Neti, qui nettoie les narines ; Dhauti, pour le système digestif et qui comprend Kunjar Kriya (p. 86) et Agni Sara (p. 182), et Vastra Dhauti expliqué ci-dessous ; Nauli qui tonifie les viscères abdominaux ; et Basti qui nettoie le côlon. En éliminant les toxines de l'organisme, les kriyas (lorsqu'ils sont pratiqués régulièrement) éveillent le mental, affinent le corps et le rendent plus résistant.

Neti

Neti devrait être pratiqué quotidiennement, debout devant un miroir avec la tête penchée en arrière de manière à voir l'orifice à l'intérieur des narines. Il y a deux méthodes : dans Sutra Neti, vous passez un cathéter ou un bout de ficelle de 30 cm trempé dans de la cire à l'intérieur d'une narine et vous le ressortez par la bouche. Répétez de l'autre côté. Il est possible qu'un peu de pratique soit nécessaire pour que la ficelle sorte bien de votre bouche et ne remonte pas dans la narine ni ne descende dans la gorge. Dans Jala Neti, vous utilisez un petit pot avec bec verseur : vous versez doucement de l'eau salée dans une narine et vous la faites sortir par l'autre narine. Si l'autre narine est bouchée l'eau coulera dans votre bouche et vous pourrez la cracher. Après avoir pratiqué Neti des deux côtés, mouchez l'eau, un côté après l'autre.

Sutra Neti
Plongez la ficelle dans de l'eau tiède salée. Insérez-la dans le conduit à l'intérieur de la narine. Quand vous apercevez l'extrémité sortir au fond de la gorge, saisissez-la avec les doigts et tirez doucement.

Jala Neti
La tête penchée sur la gauche, versez de l'eau dans votre narine droite et faites-la sortir par la narine gauche (ou par la bouche).

Vastra Dhauti

Les yogis le pratiquent une fois par semaine, dès le réveil à jeun. Cela consiste à avaler une bande de gaze de cinq mètres, puis à la ressortir doucement. Vastra Dhauti élimine les muqueuses et les déchets accumulés dans l'estomac et l'œsophage. Au début vous aurez peut-être la nausée et n'arriverez à avaler que quelques centimètres. Mais si vous vous entraînez chaque jour, vous arriverez progressivement à avaler la gaze tout entière. Après cette pratique vous devriez boire un verre de lait. Vastra Dhauti nécessite l'assistance d'un professeur de yoga qualifié.

Vastra Dhauti
Plongez la gaze dans de l'eau tiède salée. En absorbant l'eau avalez lentement la gaze ; allez aussi loin que vous pouvez. Retirez-la doucement en la sortant par la bouche.

Nauli

Ici vous faites pivoter les muscles
abdominaux centraux. Pour cela il faut
de la concentration et de la maîtrise,
car vous apprenez à manipuler un
muscle involontaire. Il est par
conséquent bénéfique de concentrer
toute votre attention sur l'abdomen
lorsque vous pratiquez Nauli. La
pratique de Agni Sara (p. 182) vous
préparera à cet exercice.
Commencez par isoler le muscle
abdominal de manière à le faire
ressortir verticalement. Puis, en
appuyant sur la main gauche, faites
passer le muscle vers la droite, et vice
versa. Vous parviendrez finalement à
effectuer un mouvement circulaire et
régulier, qui revigore les organes
internes. Cela tonifie l'estomac, les
intestins et le foie, soulage les
douleurs des règles et augmente le
flux de prana.

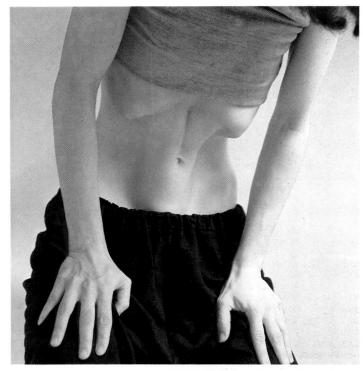

Nauli *(photo)*
*Debout, les jambes écartées, pliez
légèrement les genoux et mettez les
mains sur les cuisses. Expirez et
exécutez Uddiyana Bandha.
Contractez les deux côtés de
l'abdomen pour isoler le muscle
central (en haut). Puis prenez appui
sur chaque main alternativement pour
déplacer le muscle d'un côté à l'autre
(en bas).*

Basti

C'est une méthode naturelle de
nettoyage de la partie inférieure des
intestins. Comme un lavement, cela
consiste en une absorption d'eau
dans les intestins. Assis dans une
baignoire remplie d'eau, vous insérez
un tuyau rond de 10 cm dans le
rectum, puis aspirez l'eau en
pratiquant Uddiyana Bandha et Nauli.
Après avoir enlevé le tuyau, vous
pratiquez Nauli pour faire circuler l'eau
puis l'évacuer. Alors que dans les
lavements l'eau est entrée de force
dans le corps, dans Basti vous créez
un vide qui permet à l'eau d'être
aspirée naturellement.

Le cycle de la vie

« Il y a un Esprit pur,
au-delà de la vieillesse et de la mort...
C'est l'Atman, l'Esprit en l'homme. »
(Chandogya Upanishad.)

La pratique du yoga nous guide tout au long de notre vie. C'est une science globale et adaptable, qui peut être modifiée afin de convenir à toutes les étapes et circonstances de la vie. Au début, vous avez peut-être été attiré par les asanas pour rester en bonne santé, puis, lors d'une période de transition dans votre vie, vous avez sans doute découvert la valeur des exercices de respiration ou de méditation. Dans ce chapitre, nous avons essayé de répondre à différents besoins par des asanas appropriés à chaque situation. Nous avons porté notre attention sur trois périodes de la vie : la Maternité, l'Enfance et le Troisième Age. Cependant, même si aucune de ces périodes ne vous concerne, ce chapitre peut malgré tout vous inspirer pour votre pratique personnelle. Reportez-vous toujours à la Séance de Base qui constitue le fondement de cette série d'asanas.

La sérénité qu'insuffle le yoga, la vitalité physique et la souplesse qui en découlent sont primordiales aussi bien pour les jeunes que pour les personnes âgées. Pour les enfants, c'est un moyen de rester en bonne santé tout au long de leur vie. Leur élasticité naturelle et leur sens de l'équilibre leur permettent d'aborder facilement les asanas, et les séances sont à la fois agréables et gratifiantes. Les adolescents également pourront tirer un grand profit de la pratique du yoga, dans ses aspects multiples. Les complexes et la maladresse laisseront vite place à la confiance et à l'assurance. Les techniques du pranayama et de la relaxation sont particulièrement efficaces, car elles aident à faire face aux problèmes émotionnels qui ont inévitablement liés à cette période de la vie.

De nombreuses femmes viennent au yoga quand elles attendent leur premier enfant, recherchant un moyen de rester aussi résistantes et en bonne santé que possible durant la grossesse. Donner la vie est un des plus grands miracles de l'existence ; et la grossesse est le moment le plus important pour prendre soin de vous-même sur un plan physique, mental et spirituel. Si vous et votre conjoint pouvez pratiquer régulièrement les asanas, le pranayama et la méditation, cela vous aidera à mieux vivre la période post-natale, les premiers mois de soins au nouveau-né.

Les mouvements lents et doux des asanas sont idéaux pour la dernière période de la vie, aidant à la fois le mental et le corps à rester jeune et actif, tandis que les exercices de respiration augmentent l'apport d'oxygène au cerveau. Beaucoup d'asanas peuvent se pratiquer assis sur une chaise et certains sur un lit. Même si pour diverses raisons vous ne pouvez exécuter les asanas physiquement, essayez de les visualiser. C'est un exercice de concentration et cela vous apportera beaucoup des bénéfices de la pratique physique. Le moindre mouvement peut devenir un asana quand il est pratiqué consciemment et en vous concentrant sur votre respiration. Une élève de yoga qui souffrait de sclérose en plaques a passé de longues heures à essayer de rapprocher ses mains dans la position de la prière. Pour elle, c'était un vrai asana, qu'elle pratiquait d'ailleurs avec joie.

Chacun de nous traverse, au cours de son existence, ces périodes de tensions provoquées soit par un changement d'emploi, par une rupture sentimentale ou par la décision d'arrêter de fumer. La pratique régulière du yoga apporte un havre de paix au milieu de la tempête, car elle vous apporte la sécurité et la continuité qui sont nécessaires dans ces moments-là. La plupart de nos tensions et de nos peurs proviennent d'une fausse conception de ce que nous sommes réellement. Seulement lorsque vous serez capable de vous identifier avec le Soi (permanent et immortel), pourrez-vous faire face aux vicissitudes de la vie avec sérénité et constance.

La maternité

Les mois de grossesse sont une expérience précieuse, qui passe vite. La première grossesse est une période particulièrement riche en découvertes et en changements. Vous allez donner la vie, et cela vous engage non seulement avec votre corps, mais avec vos émotions, votre mental et votre esprit. Le yoga vous permettra de vivre votre grossesse et votre accouchement le mieux possible quels que soient votre état de santé et les circonstances. Votre enfant se développera dès sa conception dans un environnement positif. Vous éviterez la prise de poids, les vergetures et le mal de dos. Dans ce chapitre nous vous montrons de quelle façon et à quel moment modifier les asanas, et nous introduisons des postures spéciales pour la grossesse et des exercices pour vous préparer à un accouchement plus facile. (Lisez le chapitre entier, y compris le Troisième Age, vous y trouverez aussi des conseils utiles). Même si vous n'avez jamais pratiqué le yoga auparavant, vous découvrirez que les postures les plus simples améliorent votre santé et votre bien-être, tandis que la relaxation, la respiration et la méditation vous aident à maîtriser toute votre grossesse, de la conception à la naissance et à envisager les années suivantes avec calme et assurance. Toutes les femmes appréhendent l'accouchement, mais on ne peut accoucher sans effort. Le yoga vous apprend à vraiment y faire face, à vivre dans le présent, à prendre chaque événement comme il vient. Votre pratique non seulement contribuera à un accouchement plus facile, mais vous aidera également à trouver en vous-même les ressources de force et d'énergie pour faire face calmement à toutes les éventualités. La méditation peut être très importante pendant la grossesse ; étudiez les mouvements du mental, dirigez-le vers l'intérieur et vous serez libérée de toute peur ou malaise. Particulièrement pour le premier enfant, il est très important de suivre une pratique régulière des asanas, du pranayama et de la méditation ; après la naissance vous surmonterez les moments de stress et de fatigue si vous conservez cette habitude. Le yoga vous donnera de la force et vous aidera à être une bonne mère pour votre enfant.

Méditation
La grossesse est une excellente période pour la méditation ; votre manière de sentir et de penser rejaillira aussi sur votre bébé. Dans votre méditation, envoyez consciemment du prana au bébé dans l'utérus.

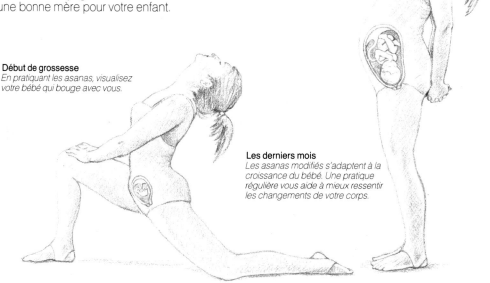

Début de grossesse
En pratiquant les asanas, visualisez votre bébé qui bouge avec vous.

Les derniers mois
Les asanas modifiés s'adaptent à la croissance du bébé. Une pratique régulière vous aide à mieux ressentir les changements de votre corps.

Programme pratique

Ce programme couvre la même suite de postures que la Séance de Base (p. 30-31), avec des suggestions d'asanas modifiés, et de nouvelles postures, spécialement adaptées pour la grossesse. Associez ce programme à la Séance de Base, et faites référence aux tableaux pages 66-67 si vous avez besoin d'une séance plus courte ou d'un programme de débutant. Si vous êtes plus avancée, entretenez votre forme en pratiquant doucement durant votre grossesse. Pendant cette période, votre corps sécrète une hormone appelée « Relaxine » : vous remarquerez peut-être une amélioration générale dans vos asanas. Même si vous grossissez beaucoup, vous pouvez continuer à travailler les postures assises, surtout le Lotus. Ces postures assises sont très importantes pour vous, car elles aident à ouvrir le bassin pour la naissance. Il en est de même des postures debout, car elles fortifient les jambes et aident à porter le bébé. Du fait que les trois postures de base avec flexion arrière (la Sauterelle, le Cobra et l'Arc) s'exécutent sur l'abdomen, nous vous proposons des alternatives. Écoutez votre corps, vous-même pouvez juger ce que vous pouvez faire et ne pas faire et comment adapter vos asanas à vos besoins particuliers. Relâchez immédiatement la posture dès que vous ressentez une douleur ou un malaise, mais ne soyez pas trop indulgente : Le bébé est bien protégé, à la fois par vos muscles abdominaux et par le liquide amniotique dans votre utérus.

Début de séance : Commencez comme d'habitude avec quelques minutes de relaxation. Si vous n'êtes pas très à l'aise dans la Posture du Cadavre, essayez les postures modifiées de la p. 169. Au fur et à mesure que le bébé se développe, relevez-vous de toute posture allongée en vous roulant sur le côté et en vous appuyant sur vos mains. Le **Pranayama** est important. Il apporte le prana à vous et à votre bébé, augmente l'absorption d'oxygène et stabilise le mental. Pendant l'accouchement, si vous vous concentrez sur la respiration, vous resterez plus calme, détendue et garderez un meilleur contrôle.

En faisant la **Salutation au Soleil** vous devrez peut-être modifier légèrement les positions, surtout les derniers mois quand votre abdomen grossit. Revenez aux pages 34 et 35 pour vous remettre en mémoire les 12 positions de la salutation.

Vous exécuterez les positions 3 et 10 (flexion avant) ci-dessus sans problème si vous écartez les jambes pour donner plus de confort au bébé.

Pendant ces quelques mois, ne faites que les Exercices pour une Jambe (p. 36). Vous pouvez aussi essayer la version adaptée pour le troisième âge (p. 174). Évitez de lever les deux jambes ensemble car cela demande trop d'efforts à l'abdomen.

Pratiquez plutôt les **Exercices Abdominaux pour la Grossesse** (ci-dessus). Les muscles abdominaux, quand ils sont bien entraînés, aident à porter le bébé dans une position correcte ; vous êtes ainsi tous les deux à l'aise. Allongez-vous sur le dos, pieds à plat sur le sol près de vos fessiers et croisez les doigts derrière votre nuque. Inspirez, soulevez la tête et les épaules, et tournez-vous sur la gauche. Expirez en revenant au sol. Répétez en tournant vers la droite. Vous devriez faire cet exercice à peu près cinq fois de chaque côté ; sentez les muscles s'affermir et vous soutenir quand vous soulevez doucement votre tête et vos épaules ; puis descendez lentement.

Dans les positions 2 et 11 (flexion arrière) vous pouvez placer vos mains sur vos hanches, au lieu de les lever, et écarter vos pieds légèrement pour déplacer l'étirement vers le bas du dos. Entre les positions 6 et 7, où normalement votre abdomen frôle le sol, utilisez vos mains pour mieux supporter votre poids et mettez-vous à genoux d'une position à l'autre. Sentez le bébé bien protégé à l'intérieur de vous.

Les Postures sur la Tête et sur les Épaules sont fondamentales pendant la grossesse car elles reposent le bas du dos, les veines, les muscles des jambes et les abdominaux inférieurs. Elles aident aussi l'utérus à retrouver sa position naturelle après l'accouchement. Cependant, après les premières semaines, vous aurez peut-être du mal à prendre et à tenir ces postures et votre sens de l'équilibre sera peut-être modifié. Même si vous maîtrisez ces asanas, vous devriez les pratiquer étape par étape, et arrêter aussitôt que vous vous sentez hésitante pour aller plus loin. Même si vous êtes débutante, étudiez la Posture sur la Tête (p. 38) pour vous familiariser avec les 3 étapes ; pratiquer les étapes 1, 2 et 3 le « Triangle ») pour obtenir certains des bénéfices. Une fois que la position 3 est confortable, vous pouvez essayer de vous soulever dans la 4 et de marcher jusqu'à la 5. Vous pouvez alors modifier la 6, en pliant et en levant un genou à la fois et tenir cette position, gardant votre colonne vertébrale aussi droite que possible et en respirant profondément.

Cette **Demi-Posture sur la Tête** (ci-dessus) est presque aussi bénéfique que la posture complète. N'essayez pas d'aller plus loin à moins de contrôler parfaitement. Cependant, si vous vous sentez prête, vous pouvez essayer la posture complète en pratiquant contre un mur, *mais uniquement en début de grossesse.* En vous agenouillant les fessiers près du mur, faites votre « triangle », les coudes touchant les genoux, et marchez dans les positions 4 et 5. Puis, à la 6, montez en marchant avec les pieds contre le mur, lentement et avec assurance, vous arrêtant dès

que vous en ressentez le besoin, jusqu'à ce que les jambes soient droites. Vous pouvez alors essayer d'écarter du mur d'abord une jambe, puis l'autre, jusqu'à ce que vous soyez capable de garder l'équilibre par vous-même. Se placer près du mur vous donne plus de confiance, et vous n'avez plus peur de tomber. Pour relâcher la posture, redescendez en marchant sur le mur.

Après ces postures, reposez-vous dans la **Posture de l'Enfant** (p. 39) ou dans la version modifiée avec les genoux écartés (comme ci-dessus et p. 169), et respirez profondément jusqu'à ce que la circulation redevienne normale.

Pour la posture sur les Épaules et la Charrue, vous pouvez utiliser les positions modifiées de la page 164. Si vous êtes débutante, essayez simplement en étant allongée avec vos pieds appuyés en l'air sur un mur. Après la Charrue, vous pouvez effectuer les Étirements contre le Mur (p. 165). Pratiquez le Poisson normalement. Il est particulièrement bénéfique pour lutter contre la dépression. Faites le Pont en partant du sol : en effet, à partir de la Posture sur les Épaules, cela demanderait trop d'efforts abdominaux.

Dans la **Flexion Avant,** veillez à une bonne position du bébé, en écartant vos cuisses. A mesure que votre abdomen s'élargit, vous pouvez trouver la posture de la Tête aux Genoux (p. 118) plus facile. Le pont

principal quand on pratique les Flexions Avant est de garder la colonne vertébrale droite : pendant la grossesse votre abdomen vous rappellera qu'il faut redresser le dos.

Les Flexions Arrière demandent le plus de changements. Vous vous apercevrez que les trois postures de base, le Cobra, la Sauterelle et l'Arc (p. 50-55) exercent trop de pression sur l'abdomen. Remplacez alors le Cobra et la Sauterelle par le Cobra Modifié et le Chat (p. 166-167), et l'Arc par la position de la Roue à Genoux (p. 130).

Vous pouvez aussi pratiquer le **Croissant de Lune** (p. 132) modifiant la position comme ci-dessus, en vous aidant des mains et des genoux.

Pendant la grossesse, les postures assises jouent un rôle important dans l'ensemble des asanas, car elles ouvrent le bassin pour faciliter l'accouchement, et renforcent les jambes et le bas de la colonne vertébrale. Vous pouvez même trouver que le Papillon et le Lotus (p. 58) s'améliorent, car le bassin s'élargit durant la grossesse pour faciliter la naissance. Vous pouvez aussi essayer les postures à genoux comme celle du Guerrier (p. 130) et la Posture Accroupie (p. 169) pour donner de l'élasticité aux muscles vaginaux. Si vous trouvez que la Demi-Torsion Vertébrale ou la Torsion Complète (p. 56 - 134) exercent trop de pression sur l'abdomen, penchez-vous légèrement en arrière pour avoir plus d'espace. La version montrée p. 174 est plus facile à pratiquer.

jambe avant. Regardez vers le bras arrière. Changez de jambe et répétez la torsion de l'autre côté. Les postures debout sont utiles, car elles fortifient les jambes, ce qui vous aide à bien porter l'enfant et à pousser avec force pendant l'accouchement. Essayez certaines variations des postures debout et des asanas indiqués dans les Postures d'Équilibre (p. 151-152) et pratiquez l'Aigle (p. 146), merveilleux exercice pour améliorer la circulation et prévenir les varices.

Détails Pratiques

Arrêtez-vous si vous ressentez la moindre douleur, et reposez-vous fréquemment dans l'une des postures de relaxation. En fin de séance, relaxez-vous dans la Posture du Cadavre ou dans une des versions modifiées (p. 169) pendant au moins 10 minutes ou plus si possible. Tandis que votre grossesse évolue, la pratique régulière des asanas vous fera mieux ressentir les changements de votre corps, et la croissance de votre enfant. Essayez de suivre un cours de yoga le plus souvent possible. Le repos et la respiration profonde deviennent de plus en plus importants. Prolongez le temps de relaxation au début et en fin de séance, et faites plusieurs fois par jour des séances de relaxation. Pratiquez la Relaxation Finale comme décrite p. 26-27, et ajoutez-y les Exercices pour le Bassin (p. 169). Ils vous enseigneront progressivement à localiser les tensions dans chaque muscle et à les relaxer consciemment. Pendant l'accouchement vous saurez vous relaxer entre les contractions, et éviterez ainsi une fatigue excessive.

Asseyez-vous jambes croisées dans la **Posture Facile,** pour une torsion modifiée. Posez votre main gauche à l'extérieur de votre genou droit, votre main droite sur le sol derrière vous, et tournez doucement vers la droite. Regardez à droite. Tenez la posture et respirez profondément. Répétez de l'autre côté.

L'Arbre (ci-dessus) a des effets similaires et, comme tous les asanas d'équilibre, il améliore votre concentration et calme votre mental. L'influence apaisante de ces asanas sera très positive pendant les mois à venir. Commencez par les étapes simples de l'Arbre (p. 146), en plaçant le pied contre le haut de la cuisse opposée. Si vous trouvez cela facile, essayez avec la jambe pliée en Demi-Lotus, comme sur le dessin. Vous serez bientôt capable de tenir la posture les yeux fermés.

La Torsion Vertébrale debout (ci-dessus) n'exerce aucune pression sur l'abdomen. Croisez vos jambes, tendez les bras de chaque côté et faites pivoter le buste du côté de la

Le Scorpion
Si vous pratiquez le yoga depuis plusieurs années, vous avez acquis une assurance qui vous permettra d'effectuer les postures avancées, telles que le Scorpion (droite), tout au long de votre grossesse. Cette photo peut vous inspirer et vous donner une idée de ce qu'une femme enceinte peut réaliser.

Asanas pour la grossesse

Le fœtus grandissant, vous éprouverez peut-être des difficultés à pratiquer normalement les asanas les plus bénéfiques. Remplacez les postures inversées de base, qui renforcent le dos et reposent le cœur et les jambes, par les postures décrites ici (et p. 161). A la place des flexions arrière habituelles, pratiquez le Chat et le Cobra Modifié, qui empêchent les vergetures et l'affaissement de l'abdomen. Ils fortifient les jambes et vous aident à mieux porter l'enfant. Préparez également votre corps à l'accouchement : les Étirements Contre le Mur et les Postures Accroupies ouvriront le bassin et les Exercices du Périnée tonifieront les muscles vaginaux et pelviens. Enfin, essayez la Posture du Cadavre Modifiée pour vous relaxer et dormir confortablement.

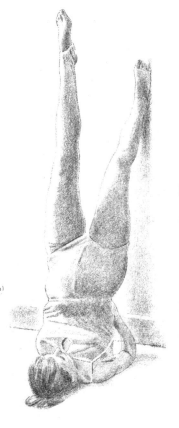

Posture sur les Épaules Modifiée

C'est une posture très tonifiante et revigorante surtout pendant la grossesse où vos jambes et votre dos supportent un poids supplémentaire. Mais si votre ventre vous gêne dans cette posture, utilisez un mur pour vous appuyer, en poussant sur vos pieds pour transférer une partie du poids sur le mur. Vous bénéficierez des effets de cette posture inversée sans avoir à soutenir tout le poids du corps.

Posture sur les Épaules Modifiée
Allongez-vous et étirez les jambes contre le mur. Prenez appui sur vos pieds, et soulevez suffisamment les hanches pour insérer vos mains et soutenir votre dos (p. 40). Marchez jusqu'à ce que vos jambes soient droites, puis décollez du mur une jambe à la fois (ou les deux ensemble)

Charrue Modifiée
A partir de la Posture sur les Épaules Modifiée, amenez une ou deux jambes derrière la tête et posez-les sur une chaise placée derrière vous, en poussant sur vos talons.

Charrue Modifiée

Pour être plus à l'aise dans la Charrue, séparez vos jambes. Ou, si vos pieds ne touchent pas le sol, utilisez une chaise pour porter une partie du poids du corps, ce qui améliorera également votre étirement. Cette technique est aussi utile pour les débutants, avant d'exécuter la Charrue Complète.

Attention : Assurez-vous que la chaise reste immobile.

Étirements contre le Mur

Ces positions sont reposantes et tonifiantes et préparent l'ouverture du bassin pour la naissance. La position allongée pour les étirements des jambes garde votre colonne vertébrale droite, ce qui est souvent difficile en position assise. Le sol et le mur supportant votre poids, vous pouvez utiliser toute votre énergie pour l'étirement. Vous pouvez également pratiquer ces étirements passivement, les bras détendus le long du corps.

Papillon contre le Mur
Allongez-vous, fesses et pieds contre le mur, les plantes des pieds ensemble, et laissez vos genoux s'ouvrir sur le côté. Avec vos mains, appuyez les genoux vers le bas et vers le mur. Détendez-vous et appréciez la posture.

Posture accroupie contre le Mur
Écartez les pieds et posez les plantes des pieds à plat contre le mur. Avec vos mains, tirez les genoux vers vous et vers l'extérieur, en poussant les pieds contre le mur.
Variation : Essayez de faire l'Écart Latéral contre le mur.

Exercices pour le Bassin

Cet exercice renforce l'utérus (l'enveloppe musculaire de l'enfant), incite à une respiration profonde et soulage les douleurs du bas du dos. Dans la Posture à Quatre Pattes, vous vous sentez pleine d'énergie ; certaines femmes l'apprécient pendant l'accouchement. L'Exercice pour le Bassin étire et contre-étire toute la colonne vertébrale.

Exercice pour le Bassin
1 A quatre pattes, expirez et arrondissez le dos. Sentez comme l'utérus est fortement tiré vers le haut. Respirez naturellement et tenez la posture brièvement.

2 Inspirez et creusez le dos. Levez la tête en arrière et respirez naturellement. Répétez 1 et 2 lentement, plusieurs fois.

Cobra Modifié

Cette posture convient mieux à la
grossesse que le Cobra classique
(p. 50), car elle n'exerce pas de
pression abdominale et fortifie les
jambes, tout en assurant une bonne
flexion arrière. Elle s'effectue en trois
phases : flexion des vertèbres
cervicales, puis thoraciques et
lombaires. Au début, arrêtez-vous à
chaque étape ; respirez normalement,
et allez plus loin lorsque vous vous
sentez prête. Bientôt vous pourrez
exécuter ces trois étapes en un
mouvement continu. Pour mieux vous
étirez, gardez les pieds joints, et pour
être plus à l'aise, écartez-les.

Cobra Modifié
*Debout, pieds joints et les mains
croisées derrière le dos.*
*1 Inspirez et laissez tomber la tête en
arrière ; tenez la posture et respirez
doucement.*
*2 Inspirez et cambrez le dos en
arrière, poussez la poitrine en avant et
les bras en arrière.*
*3 (photo). Inspirez et poussez vos
hanches en avant, vos bras tendus
dans le dos. Reposez-vous dans la
Posture de l'Enfant.*

Le Chat

Cet asana sert à remplacer la
Sauterelle (p. 52) pendant la
grossesse. Il s'exécute facilement, à
quatre pattes, sans exercer aucune
pression sur l'abdomen. La posture
assouplit le bas du dos et fortifie les
jambes. Contre-posture : Baissez la
jambe levée et amenez le genou vers
le front en arrondissant le dos.

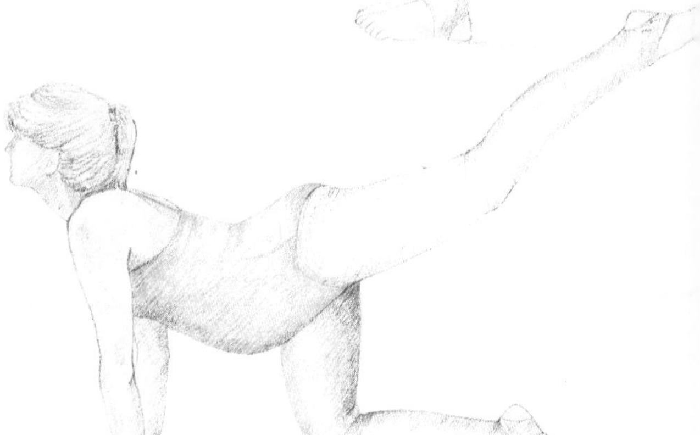

Le Chat
*1 A genoux à quatre pattes, inspirez
et soulevez une jambe tendue derrière
vous ; levez la tête en même temps.
Tenez la posture, respirez
normalement, puis expirez et baissez
la jambe ; changez de jambe.*
*2 Procédez comme ci-dessus, mais
pliez la jambe levée et tournez les
orteils vers la tête. Quand vous
pourrez, effectuez les deux étapes en
une seule.*

Exercices pour le Périnée

Ces exercices fortifient les muscles pelviens, anaux et vaginaux. Comme un bon élastique, ils s'étirent au maximum pour l'accouchement et reviendront vite en position normale, ce qui évite des problèmes postnataux comme une chute d'organes ou un écoulement de vessie. Ils augmenteront également votre conscience et votre contrôle des muscles, ce qui vous aidera à participer activement lors de l'accouchement.

Exercice 1

Allongez-vous sur le dos, croisez les chevilles. Soulevez le bassin en plaquant le bas du dos contre le sol. Expirez, serrez vos cuisses ensemble et contractez les muscles fessiers et pelviens. Tenez la posture en comptant jusqu'à 5, inspirez, relâchez.

Exercice 2 (Aswini Mudra)

En position assise, accroupie ou debout : Expirez et contractez les muscles des sphincters anaux. Tenez en comptant jusqu'à 5, inspirez, relâchez. Expirez à nouveau et contractez les muscles vaginaux. Tenez et comptez jusqu'à 5, inspirez, relâchez.

Posture de l'Enfant Modifiée
Vous pouvez adapter la Posture de l'Enfant (p. 39) en écartant les jambes pour soulager l'abdomen.

Relaxation

Surtout pendant les derniers mois de la grossesse, quand le repos est très important, vous aurez peut-être du mal à trouver une position agréable pour dormir et vous relaxer. Les deux postures illustrées ici peuvent vous aider : La Posture de l'Enfant Modifiée (ci-dessus) constitue une posture de repos agréable, fléchit le corps en avant, et favorise l'ouverture du bassin. Plier une jambe sur le ventre soutient l'abdomen et facilite la respiration. En alternant la jambe pliée, vous étirez et comprimez doucement chaque partie du corps, comme un mini-asana. Pour plus de confort, vous pouvez utiliser des coussins. Allongez-vous sur le côté avec un coussin entre les genoux, par exemple, pour diminuer l'effort du bassin et du bas du dos.

Posture Accroupie

Les femmes qui, en raison de leur culture, passent beaucoup de temps en position assise ou accroupie à même le sol, ont souvent des accouchements plus faciles car la position accroupie ouvre le bassin et fortifie les jambes. Cela assouplit également le bas du dos et procure un léger massage abdominal, ce qui améliore la circulation et empêche la constipation. Si vous n'êtes pas habituée à vous accroupir, utilisez une chaise pour vous soutenir.

Posture du Cadavre sur le Ventre Modifiée
Cette posture sera probablement plus agréable en fin de grossesse car elle enlève le poids du bébé de l'abdomen et le répartit sur le reste du corps. Posez votre tête soit sur un bras, soit sur les deux, afin de bien respirer, et changer de jambe.

Posture Accroupie *(gauche)*
Utilisez une chaise pour vous appuyer au début, et accroupissez-vous sur les orteils. Les talons toucheront progressivement le sol.

Enfance

Commencer le yoga jeune donne aux enfants un bon départ dans la vie. Avec leur souplesse naturelle et leur sens de l'équilibre, ils adoptent les postures avec beaucoup plus de facilité que les adultes, et peuvent progresser rapidement. Beaucoup d'enfants sont par nature aventureux, tout ce dont ils ont besoin est un peu d'encouragement. Aidez-les à prendre la posture correctement, mais faites attention de ne jamais forcer leur corps dans une posture, car les os et les muscles sont encore en pleine croissance. La plupart des enfants sont de grands imitateurs, et s'ils vous voient en train de pratiquer vos asanas régulièrement, ils voudront se joindre à vous et vous imiter. Le seul problème est généralement la concentration, car un enfant ne peut soutenir son attention très longtemps. La solution, surtout avec les plus jeunes, est de stimuler leur intérêt en leur présentant les séances d'une façon amusante.

Yoga pour les enfants
Les enfants de ces photos ont entre 2 et 11 ans.
Ci-dessous :
La Roue (en haut, à gauche), la Posture Facile et le Lotus (en haut, à droite). La Demi-Sauterelle et le Chameau (en bas, à gauche).
Le Cobra (en bas, au centre), l'Aigle (en bas, à droite) et la Posture du Cadavre (extrême droite).

Profitez du fait que la plupart des asanas tirent leurs noms d'animaux, d'oiseaux et d'autres créatures. Laissez l'enfant rugir comme un lion ou se dresser comme le cobra d'un charmeur de serpent. Faites appel à votre imagination : Comparez la Flexion Avant à un livre qui se ferme, la Posture sur les Épaules à une bougie sur un gâteau d'anniversaire, etc. Il est également très important d'apprendre à respirer correctement dès le plus jeune âge. Apprenez-leur la respiration abdominale dans la Posture du Cadavre : posez un canard en peluche sur le ventre de l'enfant pour qu'il voit comment le canard nage avec l'inspiration et l'expiration. En grandissant, la Méditation est très importante car elle accroît les pouvoirs de concentration de l'enfant. Dans les écoles où la méditation est enseignée, les professeurs ont remarqué une nette amélioration dans le travail et les rapports de groupe des enfants.

Le troisième âge

Il n'est jamais trop tard pour commencer le yoga, et vous n'avez que l'âge que vous ressentez. Les années de retraite peuvent être de très belles années ; vous avez le temps de vous consacrer à vous-même physiquement et spirituellement. Bien des problèmes du troisième âge (insuffisance circulatoire, arthrite et troubles digestifs) proviennent du manque d'exercice, de mauvaises habitudes alimentaires et d'une respiration superficielle. Votre corps possède de grands pouvoirs régénérateurs et, en pratiquant le yoga, vous dormirez mieux, vous aurez plus d'énergie et une approche de la vie plus positive. Si vous êtes resté inactif pendant un certain temps, pratiquez les asanas lentement et doucement au début. Commencez avec les exercices décrits ci-contre. Puis ajoutez des asanas de la Séance de Base, petit à petit, jusqu'à ce que vous les connaissiez tous. Il vous sera plus profitable d'exécuter des mouvements doux avec plaisir que des exercices vigoureux mais plus douloureux. Si certaines postures semblent un peu avancées, modifiez-les pour les adapter à vos possibilités. Quelques exemples sont montrés à la page 174. Soyez indulgent et patient avec vous-même, et acceptez les limites de votre corps. Ne forcez pas jusqu'à l'essoufflement, mais si cela arrive, relaxez-vous dans la Posture du Cadavre jusqu'à ce que votre respiration redevienne normale. Ne soyez pas non plus trop indulgent avec vous-même, et ne vous limitez pas aux exercices qui demandent peu d'efforts. Après quelques mois de pratique, vous serez surpris de voir que vous pouvez faire des mouvements qui vous semblaient impossibles. Si vous vous sentez trop raide le matin pour faire vos asanas, prenez d'abord un bain chaud ; ou bien pratiquez vos postures le soir, quand votre corps s'est un peu assoupli. Pratiquez le pranayama et la méditation tous les jours. Une bonne respiration est fondamentale pour les personnes âgées (voir p. 69) et la méditation vous aidera à vous sentir mieux en vous-même et à atténuer l'angoisse et la solitude. Prenez conscience du fait que votre corps n'est qu'un véhicule de l'âme, le Soi réel est immortel.

Pranayama de Sivananda
Ce simple exercice de respiration apaise le mental, favorise la circulation et apporte un sentiment de paix et d'harmonie. Vous pouvez l'intégrer à votre pranayama quotidien, dans la posture assise de votre choix, ou même dans votre lit. Inspirez lentement par les deux narines, retenez le souffle, puis expirez complètement. Inspirez, retenez et expirez aussi longtemps que vous pouvez. Faites 10 séries.

Postures Assises Modifiées
Asseyez-vous sur un coussin dans l'une des postures de Méditation, ou sur une chaise, le dos droit. Si vos pieds ne touchent pas le sol posez-les sur un coussin.

Exercices d'échauffement

Vous pouvez utiliser ces mouvements soit pour vous préparer à la Séance de Base, soit indépendamment, jusqu'à ce que vous soyez assez échauffé pour commencer les asanas. Bougez chaque partie de votre corps, ce qui soulage toutes les raideurs des articulations et améliore la circulation, surtout aux extrémités. Vous pouvez effectuer les exercices 1, 3, 4 et 5 soit debout, soit assis. Essayez de synchroniser votre respiration et d'exécuter les mouvements doucement. Répétez chaque exercice plusieurs fois.

2 *Debout, pieds écartés, bras le long du corps. Expirez, basculez vos hanches à droite. Inspirez, revenez au centre. Répétez à gauche.*

3 *Levez les deux bras. Expirez, penchez à droite. Inspirez et ramenez-les au centre. Répétez, vous inclinant sur la gauche. Si cela est trop fatigant pour vous, placez votre main droite sur votre hanche en vous penchant sur la droite, et vice versa.*

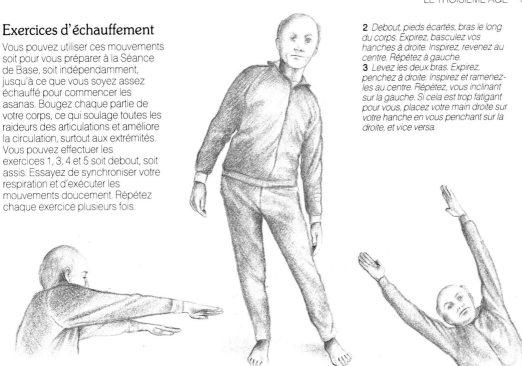

1 *Étendez les bras devant vous. Expirez, tournez la tête et le corps à droite. Inspirez, revenez au centre. Expirez, tournez à gauche, inspirez, revenez au centre.*

5 *Un après l'autre, faites pivoter les bras à partir des épaules, d'abord en arrière puis en avant. Faites de même avec les avant-bras à partir du coude, en arrière, puis en avant.*

4 *Faites pivoter vos poignets l'un après l'autre, d'abord dans le sens des aiguilles d'une montre, puis dans l'autre sens. Remuez ensuite tous les doigts.*

6 *Asseyez-vous, pliez une jambe et posez-la sur l'autre cuisse. Aidez-vous d'abord de vos mains pour faire tourner le pied dans les deux sens, puis essayez sans l'aide de vos mains. Répétez en changeant de pied. Ensuite remuez vos orteils.*

Asanas Modifiés

Si vous êtes débutant, vous préférez peut-être aborder la Séance de Base doucement. Voici quelques exemples qui vous montrent comment vous pouvez modifier les asanas de base ; vous pouvez puiser d'autres idées dans la Section Maternité (p. 160-169). Aidez-vous d'une chaise et d'un coussin. Ne forcez pas votre corps au-delà de ses limites. Veillez à ne pas prendre froid pendant la pratique des asanas.

Asanas de Base (droite)
La Posture sur la Tête (en haut, à gauche), la Posture sur les Épaules (en haut, à droite) et la Charrue (en bas).

Exercice pour une Jambe
Gardez une jambe pliée, pied à plat au sol, et levez l'autre jambe. Cela demandera moins d'efforts aux muscles abdominaux et du bas du dos.

Demi-Torsion Vertébrale
Allongez-vous une jambe tendue au sol facilite l'équilibre. Penchez-vous légèrement en arrière pour effectuer la torsion.

Flexion Arrière (ci-dessus)
Avec un coussin, vous pouvez développer votre souplesse sans effort. Agenouillez-vous, puis asseyez-vous sur vos pieds, lentement posez les mains derrière vous (le coussin se trouve dans le bas du dos), ensuite posez les coudes et la tête au sol : Étirez alors les bras derrière la tête.

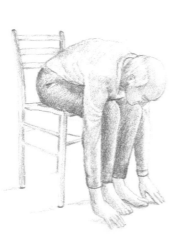

Flexion Avant
La Flexion Avant peut être très bénéfique, même assis sur une chaise. Effectuez cet asana modifié en deux étapes. D'abord, penchez-vous en avant, en gardant votre dos aussi droit que possible, et placez vos mains sur le plancher à côté de vos pieds (à gauche). Puis, pour étirer vos jambes, saisissez un pied et étendez la jambe aussi haut que possible (à droite). L'autre jambe maintient l'équilibre.

Yoga et santé

« Le Yogi considère le corps physique comme un instrument pour son voyage vers la perfection. » *(Swami Vishnu Devananda.)*

Le yoga est une science de la santé, contrairement à la médecine occidentale moderne qui est avant tout une science de la maladie et du traitement. L'enseignement du yoga se base sur une compréhension complète et précise du bon fonctionnement du corps humain et de son mental. Le but de ses techniques est d'utiliser au maximum votre propre potentiel pour la santé, la vitalité et la jeunesse qui dure. Si vous intégrez le yoga dans votre vie quotidienne, vous êtes tel le propriétaire d'une voiture qui entretient son véhicule pour le garder en excellent état de marche et le faire briller comme s'il était neuf. Sans cette discipline, vous êtes comme celui dont la voiture ne démarre pas le matin, nécessite des révisions coûteuses et d'importantes réparations, et qui finira par tomber en panne, à un moment critique, entraînant de graves conséquences.

L'état naturel du corps est la santé : chacune de ses parties et fonctions, si petite soit-elle, a un rôle biologique primordial : maintenir et rétablir la santé à tout moment. Les blessures guérissent, les os se reconstituent, la fièvre diminue, les toxines s'éliminent, les états de fatigue disparaissent. Nous sommes aux commandes d'une machine biologique miraculeuse qui devrait nous permettre une longue vie paisible et pleine de santé. Ce chapitre décrit le fonctionnement de ce remarquable système vivant et se penche plus particulièrement sur trois aspects : la constitution forte et souple des muscles, des os et des ligaments du corps, les fonctions cycliques digestive, respiratoire et circulatoire qui nourrissent et desservent toutes les cellules et les tissus ; et les systèmes de transmission nerveux et hormonaux qui équilibrent et règlent nos réactions physiques, émotives et mentales.

Le Yoga, unique parmi toutes les formes de discipline corporelle, travaille systématiquement sur toutes les parties du corps humain pour les maintenir en équilibre et en parfaite condition.

De nos jours il est rare d'être en totale et parfaite santé une fois dépassé le stade de l'enfance.

Nous considérons que la santé nous est due et nous abusons de notre corps sans réfléchir. Nous passons des heures coupés d'air et de soleil, mal assis ; nous avalons des aliments cuits à la va-vite ; nous ne trouvons pas de temps pour étirer nos corps, leur accorder le libre mouvement, une profonde relaxation, de l'air pur, ou des aliments frais et naturels. Si le corps se plaint, nous prenons des médicaments, et faisons taire ainsi le moindre signal qui pourrait nous avertir d'un trouble, et portons atteinte aux systèmes naturels de défense de l'organisme. En rétablissant l'équilibre de ces systèmes naturels, le yoga peut être très efficace pour retrouver une bonne santé, même après des années de vie malsaine qui ont provoqué les maux que nous connaissons tous : tension nerveuse, fatigue, hypertension, insomnie, rhumatismes, etc.

Une grande partie des maladies et des baisses de vitalité dont nous souffrons sont dues à un affaiblissement à long terme de l'organisme, causé par la sous-utilisation et la sous-stimulation des fonctions vitales. Aujourd'hui toutes les disciplines de santé préconisent l'exercice, mais les exercices de yoga restent uniques. Le principe le plus important que les yogis ont compris depuis des millénaires est que le bon exercice est destiné non pas à développer les muscles et épuiser notre force, mais à étirer et tonifier doucement le corps, et avant tout à stimuler la circulation jusque dans les cellules, de manière à nourrir les tissus, éliminer les déchets, rendre aux organes vitaux leur efficacité totale et rétablir le métabolisme de la santé.

Le corps physique n'est qu'un aspect de la santé dans la philosophie yogique ; le mental et l'esprit sont tout aussi importants. La médecine occidentale commence aussi à comprendre qu'il faut que le mental guérisse pour que le corps retrouve la santé. Mais l'approche occidentale reste une médecine « en miettes », alors que le yoga englobe la science du mental, du physique et du spirituel.

La structure du corps

Le plus remarquable exploit en équilibre que nous réalisons chaque jour est de tenir debout sur nos deux pieds. La structure humaine est faite de telle façon que le poids du corps est soutenu et réparti avec le maximum d'économie d'effort : la voûte plantaire, la courbure de la colonne vertébrale, la forme de chaque articulation et l'inclinaison du pelvis. Elle est conçue pour associer la liberté de mouvement à la force et la protection des organes vitaux. Les articulations sont fermement tenues par des ligaments forts et élastiques, et ce sont les muscles qui soutiennent, mettent en mouvement et reposent toute la structure.

Les muscles du squelette travaillent sur le principe d'équilibre de forces antagonistes : lorsqu'un muscle se contracte pour effectuer un mouvement, un autre muscle se détend et se relâche pour lui permettre d'agir. Si le muscle relâché ou « antagoniste » est raide et faible parce qu'il est trop peu utilisé, le muscle contracté ne peut pas travailler efficacement. C'est la raison pour laquelle nous nous étirons et bâillons pour réveiller le corps. Le stress peut entraîner la tension permanente des muscles, ce qui perturbe les mouvements, et rend chaque action doublement fatigante. Les techniques de relaxation yogique nous permettent de nous libérer des tensions et douleurs, et de retrouver l'aisance corporelle. Le processus de vieillissement peut également provoquer une perte de tonicité et un durcissement des ligaments qui relient les articulations à la surface des muscles, un effort brusque peut les froisser ou les déchirer.

Les asanas de yoga allongent d'une manière lente et non violente les muscles et les ligaments, sans qu'il n'en découle une contraction brutale comme dans la plupart des sports. Allonger un muscle lui permet de se contracter plus fortement, et les mouvements lents et la respiration profonde augmentent l'afflux d'oxygène dans les muscles, ce qui empêche l'accumulation d'acide lactique dans les fibres musculaires. Étirer et contracter les muscles stimule la circulation vers les tissus et les organes, et provoque une augmentation du retour veineux.

Enfant, nous avons du plaisir à faire travailler le moindre muscle. Cette activité naturelle maintient le corps en bonne santé et la musculature reste équilibrée. Une fois adulte, l'éventail de nos mouvements est limité par des tâches répétitives. De longues heures assis à un bureau, le dos rond et le bas de la colonne vertébrale courbé peuvent engendrer le rétrécissement des ligaments cervicaux, ce qui provoque des douleurs tout le long de la colonne vertébrale lorsqu'on essaie de se redresser. Le Poisson et la Posture sur les Épaules sont efficaces après une journée devant un bureau. Une mauvaise tenue entraîne généralement un excès de tension dans le bas du dos, les hanches et le bassin, provoquant des douleurs et des raideurs dans le dos. Le simple fait de porter un sac toujours sur la même épaule peut abîmer la structure du corps, en surdéveloppant les muscles d'un côté, jusqu'à un éventuel déplacement de vertèbre. La Flexion Avant est une bonne posture de correction dans ce cas. Mais pour tous les problèmes ordinaires de santé il vaut mieux prévenir que guérir. En pratiquant régulièrement la séance complète d'asanas, destinée à stimuler la circulation et à faire travailler systématiquement chaque partie du corps pour conserver les muscles en bonne santé et en équilibre, vous resterez jeune et souple tout au long de votre vie.

Muscles

Les muscles du squelette sont disposés symétriquement de gauche à droite et d'avant en arrière par couches spécifiques. Chaque muscle a un point de départ et un point d'attache. Ils travaillent généralement par paires : quand le genou se plie, par exemple, le muscle fléchisseur se contracte, et le muscle extenseur se détend pour permettre la flexion. De la même manière, les élévateurs et les abaisseurs soulèvent et baissent un membre, les adducteurs et les abducteurs le rapprochent ou l'éloignent de la ligne médiane du corps. Il y a également les rotateurs qui font pivoter un membre, les muscles tenseurs qui raidissent une articulation, et les sphincters pour certains mouvements particuliers. Les asanas de yoga font systématiquement travailler chaque paire de muscles l'une après l'autre (comme, par exemple, pour les flexions avant et arrière ci-dessous), ce qui leur donne jeunesse, élasticité et équilibre. Les illustrations ci-contre donnent une idée des principaux muscles des couches superficielles (les muscles profonds de la colonne vertébrale ne sont pas visibles).

La Posture de la Tête aux Genoux *(ci-dessous) fait travailler les muscles extenseurs du genou, du pied et de la nuque, et étire les tendons arrière de la jambe et les muscles dorsaux.*

Le Cobra *fait travailler les muscles fléchisseurs du genou, de la voûte plantaire, de la colonne vertébrale et de la nuque.*

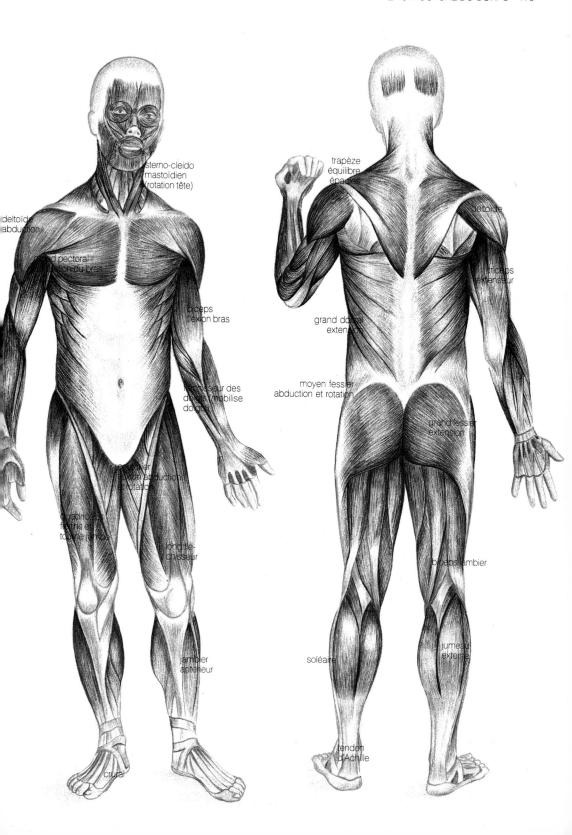

sterno-cleido
mastoïdien
(rotation tête)

trapèze
équilibre
épaule

deltoïde
abduction

deltoïde

grand pectoral
flexion du bras

triceps
extenseur

biceps
flexion bras

grand dorsal
extension

fléchisseur des
doigts (mobilise
doigts)

moyen fessier
abduction et rotation

couturier
flexion abduction
et rotation

grand fessier
extension

quadriceps
fléchit et
tourne jambe

long flé-
chisseur

biceps jambier

jambier
antérieur

soléaire

jumeau
externe

crural

tendon
d'Achille

Le Squelette

Notre corps est constitué d'une charpente complexe de 206 os. L'axe du squelette comprend la boîte crânienne, le sternum, les côtes et les os de la colonne vertébrale qui protègent la moelle épinière. Les courbes successives de la colonne vertébrale (cervicale, thoracique, lombaire et sacrale) lui donnent de l'élasticité et permettent au poids de se répartir harmonieusement. Les problèmes des courbes vertébrales (dos voûté, cambré ou colonne déviée) provoquent une tension accrue sur les vertèbres lombaires et sur les articulations des membres, du bassin et de la poitrine. Les articulations sont protégées de l'usure par le cartilage et maintenues en position correcte par les muscles et les ligaments. Le but des asanas est de libérer toutes les articulations du corps, de les ouvrir pour dégager la pression exercée sur les cartilages protecteurs et de rétablir l'alignement naturel des os. En gardant les muscles et les ligaments en bonne santé, et en vous tenant correctement, vous pouvez éviter les lésions d'articulations.

Disques intervertébraux

Les espaces situés entre les vertèbres sont remplis de tissus élastiques dont le centre est mou et gélatineux, et qui servent de tampon contre les chocs et permettent le mouvement. Au repos chaque disque a une forme arrondie (ci-dessous gauche), en position debout le milieu du disque est comprimé par le poids du corps (ci-dessous droite). Un mouvement violent peut entraîner un

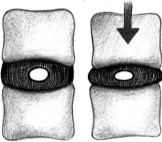

glissement de disque : le cartilage se gonfle, comprime un nerf spinal voisin, ce qui provoque une douleur intense et immobilise la colonne vertébrale. Un professeur de yoga peut dans ce cas recommander à l'élève des asanas efficaces ; vous pouvez empêcher que cela ne se reproduise en fortifiant la colonne vertébrale et en relaxant les disques.

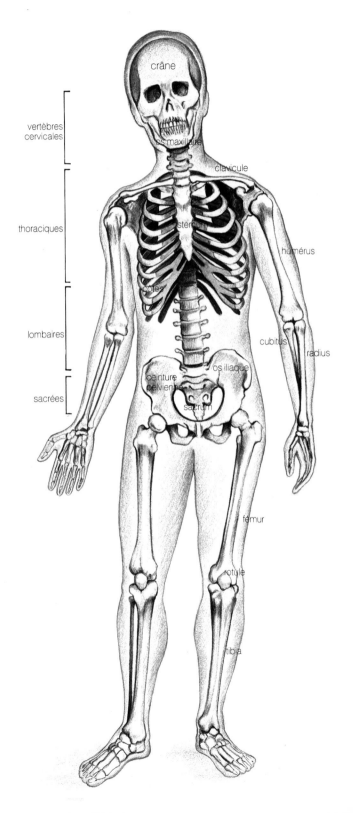

crâne

vertèbres cervicales

os maxillaire

clavicule

thoraciques

sternum

humérus

côtes

lombaires

cubitus

radius

os iliaque

ceinture pelvienne

sacrées

sacrum

fémur

rotule

tibia

Les Mouvements de la colonne vertébrale

Le corps est conçu pour permettre une très grande variété de mouvements aux membres et à la colonne vertébrale. Ce potentiel est trop peu utilisé, car nous n'en sommes pas conscients et surtout parce que nous laissons les ligaments des articulations, de la colonne vertébrale et des muscles se raidir par manque d'utilisation. La colonne vertébrale peut être fléchie ou pliée en avant, étirée ou pliée en arrière, tournée de chaque côté, pivotée, balancée ou combiner plusieurs de ces mouvements. La limite des mouvements vertébraux est déterminée par trois facteurs : la construction noueuse des vertèbres, la longueur des ligaments vertébraux et l'état des muscles antagonistes. Les asanas exposés ici illustrent le potentiel maximal du mouvement de la colonne vertébrale et du bassin chez un être en bonne santé. La souplesse de la colonne varie selon les individus et l'âge, aussi ne vous découragez pas si vous ne parvenez pas à exécuter les postures illustrées. Seule la pratique vous fera retrouver la souplesse naturelle de votre corps.

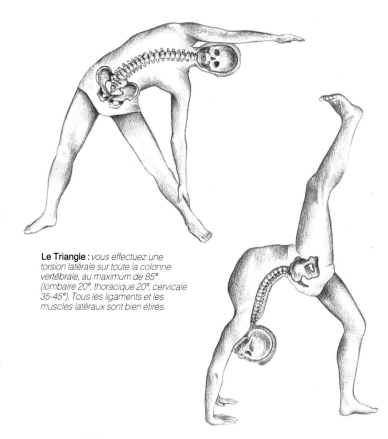

Le Triangle : *vous effectuez une torsion latérale sur toute la colonne vertébrale, au maximum de 85° (lombaire 20°, thoracique 20°, cervicale 35-45°). Tous les ligaments et les muscles latéraux sont bien étirés.*

La Posture de l'Enfant *fléchit le corps en avant à 110°. Cet asana détend les ligaments de la colonne, étire les muscles dorsaux et relâche les disques lombaires qui sont normalement comprimés dans la position debout.*

Dans la **Variation de la Roue** *la colonne effectue la flexion arrière maximale, soit 140° au total (nuque 75°, région thoraco-lombaire 65°). Les muscles en jeu sont les fléchisseurs de la jambe au sol et des poignets, ainsi que les extenseurs des bras et de la jambe levée.*

La Posture du Cadavre *relâche toutes les tensions de la colonne et lui restitue sa symétrie naturelle. Le sacrum pousse le bassin vers le haut et lui permet de s'ouvrir sur les côtés, reposant ainsi tous les disques intervertébraux.*

Pression Abdominale Simple : *Le bassin est soulevé et les hanches sont fléchies en séparant l'articulation sacro-iliaque. La flexion maximale du bassin dans cette posture est de 30°.*

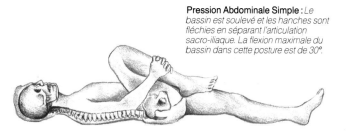

Les Cycles de la Nutrition

Le corps est le temple de l'esprit, et c'est en tant que tel que nous devrions en prendre soin. La santé du corps dépend de la santé de ses cellules, de la constitution des tissus et des organes, dont les différents rôles sont essentiels à notre bien-être. Les cellules et les tissus nécessitent un environnement sain : sans toxines, riche en réserves nutritives et disposant d'un système de liaison efficace. Le besoin primordial de toutes les cellules est d'obtenir l'oxygène nécessaire à la combustion, et d'éliminer rapidement les déchets de gaz carbonique. Des poumons et un cœur sains sont par ailleurs essentiels à la bonne nutrition des cellules. En mangeant les aliments qui vous conviennent, au bon moment de la journée, vous aurez une digestion facile, et le sang absorbera et rejettera complètement les déchets de l'organisme. La base de la santé et de la vitalité est l'échange circulatoire qui s'effectue autour des cellules.

Quand on presse avec le doigt sur la peau, elle pâlit car l'afflux sanguin est stoppé, puis elle rougit quand la circulation se rétablit. Les asanas agissent sur les tissus de votre corps, comme une main qui presse une éponge afin d'en extraire les impuretés, puis étire les tissus pour absorber à nouveau les éléments nutritifs vivifiants et permettre à l'énergie d'arriver jusqu'à chaque cellule. La respiration profonde dans une posture permet aux cellules de mieux s'oxygéner et d'éliminer le gaz carbonique. Quand le retour du sang veineux s'accroît la contraction du cœur s'intensifie. Les asanas massent les organes vitaux et stimulent les muscles digestifs pour augmenter le péristaltisme.

Le mode de vie actuel a un effet particulièrement nuisible sur nos tissus. Le fait de rester longtemps assis sans bouger ralentit la petite et la grande circulation. Nous respirons de l'air pollué, ou nous fumons, et nous mangeons des aliments qui contiennent toute une variété de substances que le corps ne peut pas assimiler, ou qui sont vraiment toxiques. Quand la circulation est insuffisante, les reins et le foie ne sont pas pleinement utilisés et les tissus s'encrassent. La viande, par exemple, contient plus d'acide urique que nous ne pouvons en éliminer, et ceci peut léser les tissus, provoquant rhumes et rhumatismes.

Des symptômes désagréables tels que l'indigestion, les varices et les maux de tête sont comme les avertisseurs lumineux d'une voiture qui nous préviennent que le véhicule va tomber en panne. Alors que les asanas spécifiques peuvent les alléger, soigner les symptômes et ne pas prendre en considération le bon fonctionnement de tout l'organisme revient à débrancher les avertisseurs lumineux de la voiture pour qu'ils ne vous contrarient pas. Le yoga enseigne qu'il faut considérer le corps dans son ensemble, car toutes ses parties sont interdépendantes, et qu'il faut être conscient de la relation intime qui a lieu entre le corps et le mental. Si vous pensez positivement, les cellules de votre corps le ressentiront. Et si vous changez votre mode de vie en suivant les cinq principes de la santé (p. 21), l'organisme utilisera au mieux son potentiel, et ainsi tout le fonctionnement du corps s'effectuera dans un environnement plus sain.

Digestion

Le massage continuel des organes digestifs par les mouvements respiratoires du diaphragme maintient ceux-ci en bonne santé. Les flexions arrière et avant ainsi que la torsion vertébrale favorisent ce procédé. Agni Sara travaille directement sur le diaphragme (ci-dessous).

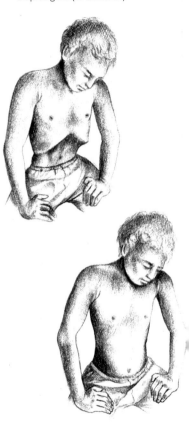

Agni Sara
Le mouvement de pompe de cet asana est particulièrement utile pour la digestion. Les jambes écartées, genoux pliés, appuyez les mains contre les cuisses en regardant l'abdomen. A l'expiration rentrez l'abdomen vers le haut, bloquez la respiration et pompez d'avant en arrière. Quand vous avez besoin d'inspirer, arrêtez de pomper ; inspirez. Puis expirez et recommencez. Dix à dix-huit mouvements de pompe suffisent à chaque fois.

Respiration

L'approvisionnement en oxygène se fait par les poumons. Des poumons sains et élastiques se gonflent dans une respiration profonde et dilatent les minuscules sacs d'air où se produisent les échanges entre l'air et le sang. Les poumons se contractent ensuite pour expulser les déchets de gaz carbonique, mais pas entièrement, car un résidu d'air reste toujours dans les poumons. Les asanas de yoga et la respiration abdominale améliorent toutes vos fonctions respiratoires, augmentent la capacité vitale (entrée d'air), et développent des muscles forts et des tissus élastiques. Le pranayama, de son côté, approfondit le contrôle du souffle et nettoie le système respiratoire. La Sauterelle et le Paon sont particulièrement bénéfiques pour l'inspiration profonde et la rétention du souffle, Nauli et Uddiyana Bandha pour l'expiration profonde et Kapalabhati pour le diaphragme.

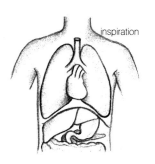

inspiration

Muscles Respiratoires

Vos poumons fonctionnent comme un soufflet dans le vide de la cage thoracique. Pour aspirer de l'air la cavité s'élargit : la cage thoracique s'ouvre, le diaphragme descend en massant les organes abdominaux. Quand vous expirez, l'air est expulsé avec la contraction de l'abdomen, la cage thoracique se rétracte et le diaphragme monte en massant le cœur.

expiration

Les passages de l'air

Les narines filtrent, chauffent et humidifient l'air lorsqu'il descend dans les poumons. C'est une des raisons pour laquelle vous respirez par le nez en pratiquant les asanas. Si vous avez mal à la gorge ou un rhume, la Posture sur les Épaules, le Poisson et la Posture du Lion sont efficaces.

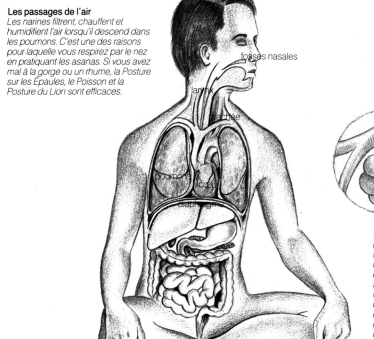

fosses nasales

larynx

trachée

poumons

cœur

diaphragme

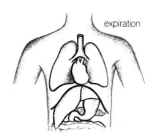

bronchiole

Sacs d'air

Dans les poumons, les bronches sont finement divisées et se terminent par des alvéoles ou sacs d'air. Si votre respiration est superficielle, les alvéoles les plus éloignées restent inactives et se détériorent, l'absorption d'oxygène est réduite et les chances d'infection sont multipliées. Dans des cas d'allergie ou de nervosité tels que le rhume des foins et l'asthme, les petits tuyaux et les sacs d'air des poumons se rétrécissent. La relaxation, le pranayama et la respiration abdominale peuvent alors être bénéfiques.

Circulation

Le flux sanguin est le système de transport le plus important du corps ; il véhicule : les globules rouges qui évacuent le gaz carbonique et amène l'oxygène aux tissus, les globules blancs pour lutter contre les infections, des éléments nutritifs et des transmetteurs chimiques. Une bonne circulation exige un cœur sain et des vaisseaux sanguins élastiques et non obstrués, depuis les artères et veines jusqu'aux capillaires les plus fins. Tous les asanas ont un effet positif pour la circulation, particulièrement les postures inversées. Nauli et Kapalabhati massent le cœur, et les différentes pressions exercées sur le cœur pendant la séance d'asanas aident à fortifier les muscles du cœur.

Veines et Valves des Jambes
Le mouvement des muscles des jambes ramène le sang usagé des veines périphériques par un système de valves qui s'ouvrent (1) et se ferment (2) pour empêcher le reflux. La position debout augmente la pression exercée sur les valves.

Varices
La pression causée par de longues périodes debout et l'insuffisance des valves dans les veines périphériques peuvent provoquer le reflux de sang dans les veines superficielles. Celles-ci se dilatent et se tordent, c'est ce que nous appelons les varices.

Postures inversées
Mettre le corps à l'envers inverse l'effet de la pesanteur. En reposant les valves et les parois veineuses, le sang irrigue la tête et le cou en soulageant le cœur. La pratique régulière soulage les varices et empêche leur formation.

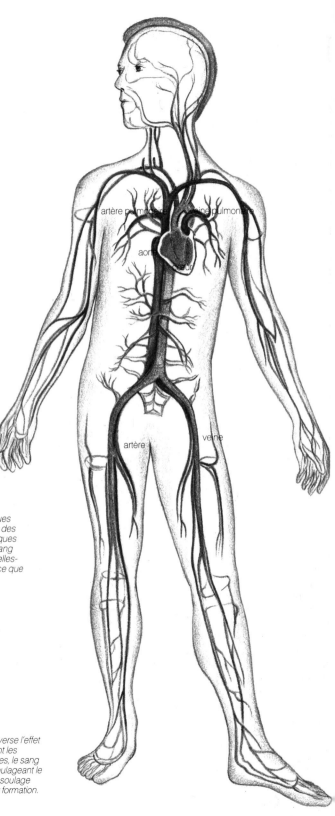

artère pulmonaire   veine pulmonaire

aorte

cœur

artère   veine

L'équilibre vital

Au cours d'une journée ordinaire votre corps et votre mental cherchent, par différentes activités, à satisfaire vos besoins, à réaliser vos désirs et à assurer votre santé et votre survie. Le corps est l'instrument parfait du mental ; il réagit à toutes les stimulations et commandes qui sont envoyées par les systèmes de transmission, le réseau de conduction nerveuse et les hormones qui circulent dans le sang. Si l'on compare le système nerveux à un réseau électronique, on peut comparer le système endocrinien hormonal à un baromètre, qui prépare le corps au prochain orage ou au beau temps. Les deux systèmes fournissent des informations et provoquent en retour une réaction, et ils régularisent chaque fonction du corps : son état d'excitation ou de repos, ses dépenses d'énergie et la stabilité physiologique, indispensable à la santé. Vos émotions sont à la fois influencées et influencent les systèmes de transmission. Si vous êtes effrayé, votre corps montre les symptômes de la peur (le pouls s'accélère, vous suez, les pupilles se dilatent) ; si votre corps manifeste ces symptômes, vous ressentirez la peur.

Le plus important travail des asanas est de fortifier et purifier le système nerveux, notamment la moelle épinière et les ganglions, car ils correspondent au chemin du prana dans le corps subtil. Les différents asanas étirent et tonifient systématiquement tous les nerfs périphériques, contribuent à les renforcer et à stabiliser les transmissions neuroniques. Ils tonifient également les systèmes nerveux sympathique et parasympathique, qui sont antagonistes pour régulariser les fonctions volontaires et involontaires. Des signaux actifs des nerfs sympathiques stimulent nos réactions en cas d'urgence, surtout quand nous sommes tendus, inhibant les fonctions par le système parasympathique, comme le flux de la salive, les sécrétions gastriques et la régularisation du pouls et de la respiration. Les asanas massent et stimulent aussi les glandes endocrines.

Si vos systèmes nerveux et endocriniens sont en bonne santé, le corps et le mental auront des réactions positives quand ils seront sollicités ou mis en danger, et retrouveront vite leur fonctionnement normal. Mais si le système nerveux et le dosage hormonal sont déséquilibrés, en envoyant continuellement des appels d'urgence et en réagissant trop fortement au stress, l'épuisement, l'hypertension, l'anxiété, la dépression et des désordres nerveux en résulteront. Si les rôles des glandes vitales sont perturbés, le métabolisme se déséquilibrera sans doute aussi et provoquera obésité, problèmes menstruels et maladies graves. Des recherches ont prouvé qu'en pratiquant le yoga on ne brûle que 0,8 calorie par minute, alors qu'un sujet au repos en brûle 0,9 à 1 et dans d'autres types d'exercice, jusqu'à 14 calories par minute sont brûlées. La pratique des asanas contrôle efficacement l'hypertension et l'anxiété, et rétablit la résistance nerveuse, un bon métabolisme et une bonne transmission nerveuse. Les exercices non violents de yoga peuvent être exécutés par tous, même pendant la maladie ; chacun peut tirer profit de leurs effets très positifs.

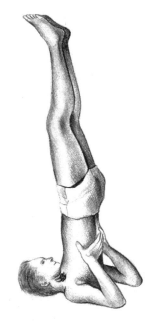

La Thyroïde et la Posture sur les Épaules

Certaines personnes semblent avoir un surplus d'énergie et peuvent manger ce qu'elles veulent sans grossir, alors que d'autres prennent facilement du poids et ont besoin d'une alimentation plus modérée. De telles différences sont dues en grande partie à la glande thyroïde, située dans le cou. Si son action est déficiente, le corps entier se ralentit, vous vous sentez léthargique, frileux, vous êtes peu concentré intellectuellement et vous manquez d'appétit tout en prenant du poids. Si elle est trop active, vous brûlez de l'énergie, vous avez tendance à maigrir et vous êtes probablement excitable et nerveux. Le bon fonctionnement de la thyroïde est essentiel au bien-être. Dans la Posture sur les Épaules, la concentration et la circulation sont entièrement dirigées vers la glande thyroïde, car elle est massée et stimulée, et elle rétablit ainsi le métabolisme normal.

Glandes

Toutes les fonctions vitales et complexes du corps sont réglées par les glandes endocrines, qui répartissent leurs sécrétions chimiques dans le flux sanguin. Comme les muscles antagonistes de l'organisme, le système endocrinien agit sur un principe d'équilibre : une hormone stimule certaines réactions, une autre les inhibe, et elles agissent ensemble dans une inter-relation complexe, avec le système nerveux sympathique sous le contrôle des glandes pituitaires, du cerveau et du mental. Le système endocrinien sert d'intermédiaire entre le corps et le mental : des émotions telles que la peur ou la colère, l'amour ou la peine reflètent l'activité hormonale et l'influencent considérablement. Un choc important perturbe tout l'organisme, et peut provoquer la maladie. Le yoga peut rééquilibrer l'organisme avant que n'apparaissent des problèmes chroniques.

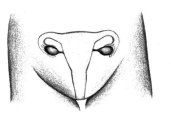

Les hormones sexuelles de la femme
Les ovaires sont la principale source d'œstrogène, l'hormone qui règle le cycle menstruel, la grossesse, l'allaitement, l'apparence physique et la sexualité féminine. Les Flexions Avant et Arrière massent l'utérus et les ovaires, et le Cobra est particulièrement efficace pour les règles irrégulières ou douloureuses.

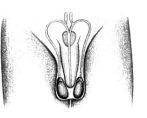

Hormones sexuelles de l'homme
Les testicules sont la principale source de l'hormone sexuelle masculine : la testostérone. La pratique régulière des asanas, du pranayama et de la relaxation maintient en équilibre les hormones mâles et éloignent les troubles et problèmes sexuels.

La glande pituitaire
Cette glande maîtresse règle la sécrétion de toutes les autres glandes endocrines et est directement contrôlée par le cerveau. La Posture sur la Tête est l'asana le plus bénéfique pour cette glande.

Thyroïde et parathyroïde
La thyroïde contrôle les métabolismes de base, la croissance et les processus cellulaires. La glande parathyroïde contrôle le calcium et le phosphore dans le sang. Les deux glandes sont massées dans la Posture sur les Épaules.

Pancréas et glandes surrénales
Les sécrétions de ces glandes sont essentielles à la vie, car elles affectent notre état émotionnel et physique. Le pancréas produit l'insuline qui régularise le taux de sucre dans le sang ; la posture du Paon masse le pancréas et la rate. Les corticosurrénales produisent des hormones sexuelles et les corticostéroïdes principaux ; la médullosurrénale sécrète de l'adrénaline (qui est également libérée aux extrémités du nerf sympathique), pour stimuler l'état de tension du corps. Les asanas, la relaxation et la méditation stabilisent les réactions nerveuses et la sécrétion d'adrénaline.

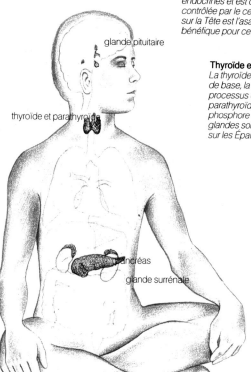

glande pituitaire

thyroïde et parathyroïde

pancréas

glande surrénale

Les Nerfs

Un bon système nerveux vous permet de réagir à tous les événements de la vie avec calme et efficacité. Il fait travailler tous les muscles, organes et tissus du corps au meilleur de leurs possibilités, donne une perception sensorielle plus subtile et provoque une sensation d'énergie et de vitalité dans tout le corps. Le système nerveux comprend un grand nombre de cellules individuelles, ou neurones, chacune étant constituée d'un corps cellulaire d'où partent les prolongements qui transmettent une suite rapide d'impulsions ou de signaux nerveux. Les grands nerfs, qui sont purifiés et étirés par les asanas, sont composés d'une multitude d'axones réunis. En éliminant les toxines des tissus, les asanas améliorent la neurotransmission au niveau des extrémités nerveuses et des synapses entre les nerfs.
Il a été prouvé que le yoga stabilise la réaction du système nerveux face au stress, en éliminant la tension musculaire constante produite par le signal d'alarme du système nerveux central. Il calme également les symptômes involontaires de la peur : accélération du rythme cardiaque, transpiration et angoisse, qui apparaissent par le système nerveux sympathique.

Système nerveux périphérique
Les nerfs de la colonne vertébrale sont distribués par paires de chaque côté de la moelle épinière et se divisent pour constituer le système périphérique. Les nerfs moteurs (efférents) transmettent les instructions à tous les muscles, et les nerfs sensoriels (afférents) ramènent l'information venant des récepteurs. Le système autonome (sympathique/parasympathique) qui équilibre les fonctions involontaires part également de la colonne vertébrale : les nerfs sympathiques croisent de nombreux ganglions (centre de contrôle) proches de la colonne, ganglions qui sont tonifiés en étirant la colonne. Les yogis peuvent parvenir à agir volontairement sur le système sympathique.

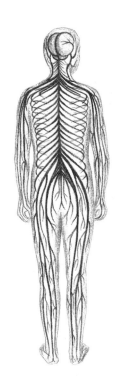

Système nerveux central
Le système nerveux central est le maître et le centre de communication du corps. En partant des racines profondes de la moelle épinière, les nerfs spinaux se divisent et vont servir chaque partie du corps. Dans la moelle épinière a lieu une intercommunication continue, et les impulsions voyagent rapidement dans les nerfs sensoriels et moteurs, en partant du cerveau et en y revenant. Les asanas ont un effet considérable sur chaque partie de la colonne vertébrale en étirant indirectement la moelle épinière, tonifiant les racines nerveuses et libérant les nerfs de toutes les pressions au moment où ils émergent de la colonne vertébrale.

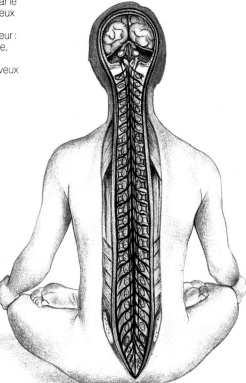

Glossaire des termes sanskrits

A

Agni Sara : *un kriya qui masse les organes digestifs ; agni signifie feu.*
Ahimsa : *non-violence ; un yama.*
Ajna Chakra : *le sixième chakra, entre les sourcils.*
Akarna Dhanurasana : *Tir à l'Arc.*
Anahata Chakra : *le quatrième chakra, au cœur.*
Ananda : *félicité.*
Anjaneyasana : *la Demi-Lune ; les Grands Écarts.*
Anuloma Viloma : *respiration alternée en pranayama.*
Apana : *le souffle descendant ; une manifestation du prana.*
Ardha Matsyendrasana : *Demi-Torsion Vertébrale.*
Asana : *posture (littéralement « siège »).*
Ashram : *monastère yogique.*
Atman : *le Soi, l'Âme, l'Esprit.*

B

Bandha : *verrou musculaire ou contraction pour contrôler le flux du prana.*
Bandha Padmasana : *Lotus Lié.*
Basti : *kriya pour irriguer le grand intestin.*
Bhakti Yoga : *la voie yogique de la dévotion.*
Bhastrika : *type rapide de pranayama, respiration en soufflet.*
Bhujangasana : *Cobra.*
Bija Mantra : *mantra de graine ou lettre en Sanskrit qui représente le pouvoir d'une déité ou d'un élément.*
Brahma : *le Créateur dans la Trinité Hindoue.*
Brahman : *l'Absolu.*
Brahmari : *type de pranayama, le souffle « bourdonnant ».*

C

Chakra : *un des sept centres d'énergie pranique.*
Chakrasana : *Roue.*
Chin Mudra : *mudra de la main, reliant le pouce et l'index.*

D

Dhanurasana : *l'Arc.*
Dharana : *concentration.*
Dhauti : *kriya pour nettoyer l'estomac en avalant un tissu.*
Dhyana : *méditation.*

G

Garbhasana : *Fœtus.*
Garuda Asana : *Aigle.*
Guna : *une des trois qualités qui constituent tout l'univers manifesté ou Prakriti.*
Guru : *Professeur (littéralement « celui qui écarte l'ignorance »).*

H

Halasana : *Charrue.*
Hatha Yoga : *première partie pratique du Raja Yoga qui comprend asanas, pranayama et kriyas ; « hatha » signifie soleil et lune.*

I

Ida : *un des nadis principaux qui passe par la narine gauche.*

J

Jalandhara Bandha : *verrou du menton.*
Janu Sirasana : *posture de la Tête aux Genoux.*
Japa : *répétition d'un mantra.*
Jiva : *âme individuelle.*
Jhana Yoga : *la voie yogique de la connaissance.*

K

Kakasana : *Corbeau.*
Kapalabhati : *kriya et pranayama qui nettoient le système respiratoire.*
Kapotha Asana : *Pigeon.*
Karma : *loi de la cause à effet, littéralement « action ».*
Karma Yoga : *la voie yogique du service désintéressé.*
Krishna : *une incarnation de Vishnu.*

Kriya : *pratique de purification.*
Kukutasana : *coq.*
Kundalini : *l'énergie spirituelle potentielle.*
Kunjar Kriya : *kriya pour purifier l'estomac.*
Kurmasana : *tortue.*

M

Mala : *rosaire, utilisé dans le japa.*
Manas : *le mental.*
Manipura Chakra : *le troisième chakra, au plexus solaire.*
Mantra : *syllabe, mot ou phrase sacrés, utilisé dans la méditation.*
Matsyasana : *Poisson.*
Matsyendrasana : *Torsion Vertébrale.*
Maya : *illusion.*
Mayoorasana : *Paon.*
Meru : *plus grande perle dans un mala.*
Moola Bandha : *verrou anal.*
Mudra : *geste ou posture pour contrôler le prana.*
Muladhara Chakra : *le premier chakra, à la base de la colonne vertébrale.*

N

Nadi : *conduit nerveux.*
Natarajasana : *Posture du Seigneur Nataraja.*
Nauli : *kriya pour purifier le système digestif.*
Nirguna : *type de méditation, littéralement « sans qualités ».*
Niyama : *une des cinq disciplines éthiques.*

O

Om : *le mantra originel.*
Oordhwapadmasana : *Posture sur la Tête en Lotus.*

P

Pada Hashtasana : *Posture de la Tête aux Genoux, Posture des Mains aux Pieds.*
Padandgushtasana : *Posture sur les Doigts de Pieds.*
Padmasana : *Lotus.*

Paschimothanasana : *Flexion Avant.*
Pingala : *un des nadis principaux qui passe à travers la narine droite.*
Poorna Supta Vajrasana : *Diamant.*
Prakriti : *l'univers manifesté.*
Prana : *énergie vitale.*
Pranayama : *contrôle du souffle ; exercice de respiration.*
Pratyahara : *retrait des sens.*
Purusha : *esprit.*

R

Raja Yoga : *voie yogique de la méditation.*
Rajas : *guna de l'activité.*

S

Saguna : *type de méditation, littéralement « avec qualités ».*
Sahasrara Chakra : *le septième chakra le plus haut, au sommet de la tête.*
Salabhasana : *Sauterelle.*
Samadhi : *supraconscience.*
Samanu : *variation de pranayama pour purifier les nadis.*
Sarvangasana : *Posture sur les Épaules.*
Satchitananda : *existence, connaissance, béatitude.*
Sattva : *guna de la pureté.*
Sethu Bandhasana : *Pont.*
Shakti : *le principe féminin actif.*
Shanti : *paix.*
Simhasana : *Lion.*
Sirshasana : *Posture sur la Tête.*
Sithali, Sitkari : *variations de pranayama pour rafraîchir le corps.*
Siva : *Dieu de la destruction dans la Trinité Hindoue, la force masculine passive.*
Sukhasana : *Posture Facile.*
Supta Vajrasana : *Posture à Genoux.*
Surya : *Soleil.*
Surya Bheda : *variation de pranayama qui guérit le corps.*
Surya Namaskar : *Salutation au Soleil.*
Sushumna : *nadi principal qui circule dans la moelle épinière.*
Sutra : *un aphorisme, littéralement « fil ».*
Swadhishthana Chakra : *le deuxième chakra, aux organes génitaux.*
Swami : *moine.*

T

Tamas : *guna de l'inertie.*
Tratak : *regard fixe, un kriya et une technique de concentration.*
Trikonasana : *Triangle.*

U

Uddiyana Bandha : *verrou qui fait monter le diaphragme.*
Ujjayi : *variation de pranayama.*
Uthitha Kurmasana : *Tortue en Équilibre.*

V

Vatayanasana : *Pression Abdominale.*
Vatyanasana : *Posture sur un Genou et un Pied.*
Vedanta : *école de philosophie, littéralement « fin de la connaissance ».*
Vedas : *la plus haute autorité des écritures aryennes révélées aux sages dans la méditation.*

Ouvrages recommandés :

Swami Sivananda :
La Pratique de la Méditation.
Le Yoga de la Kundalini.

Swami Vishnu Devananda :
Le Grand Livre Illustré du Yoga.
Le Hatha Yoga Pradipika
(commentaire par Tara Michaël).

Swami Vivekananda :
Les Yoga pratiques.

Pour la prononciation des termes sanskrits :

— au se prononce a-ou (exemple : dhauti) ;
— h h aspiré (exemple : ahimsa) ;
— j se prononce dj (exemple : japa) ;
— oo se prononce ou (exemple : moola bandha) ;
— u se prononce ou (exemple : guna) ;
— si se prononce shi (exemple : Sivananda) ;
— vee se prononce vi (exemple : veerasana).

Index

Centres Sivananda de Yoga Vedanta

Ashrams

Sivananda Ashram Yoga Camp
8th Avenue, VAL MORIN,
P.Q. JOT 2RO, Canada
(819) 322-3226

Sivananda Ashram
Yoga Ranch Colony
Rt. 1, Box 228A, WOODBOURNE,
NY 12788
(914) 434-9242

Sivananda Ashram
Yoga Retreat
P.O. Box N7550, NASSAU
Bahamas
(809) 326-2902

Sivananda Yoga Dhanwanthari
Ashram
P.O. Neyyar Dam
TRIVANDRUM Dt., Kerala, India
Tél. : Kattakada (58-36) 93

Sivananda Ashram
Vrindavan Yoga Farm
P.O. Box 242, GRASS VALLEY,
Ca 94945
(916) 272-9322/272-9372

Centres

ALLEMAGNE FÉDÉRALE
Sivananda Yoga Zentrum
Steinheilstr. 1, 8 MUNICH 2
(089) 52-44-76

ANGLETERRE
Sivananda Yoga Vedanta Centre
50 Chepstow Villas, LONDRES, W11
(01) 229-7970

AUSTRALIE
Sivananda Yoga Vedanta Centre
Box 323, Ashgrovr, BRISBANE
383-929

AUTRICHE
Sivananda Yoga Zentrum
Rechte Weinzeile 29-3-9, VIENNE
56-34-53

CANADA
Sivananda Yoga Vedanta Centre
5178 St Lawrence Blvd, MONTREAL
PQ JOT 2RO
(514) 279-3545

Sivananda Yoga Vedanta Centre
675 Bougeois, QUEBEC CITY
PQ G1S 3V8

Sivananda Yoga Co-op (affilié)
36 Rosebery Ave, OTTAWA
Ont K1S 1W2
(613) 235-5378

ESPAGNE
Association Internacional Sivananda
Yoga Vedanta Centro
C/ Juan Bravo 62, 7A
MADRID 6
(01) 402-7467

Centro de Yoga Ananda (affilié)
Teresa Herrera 7-1
LA CORUNA
(981) 226-013

Sivananda Yoga Center (affilié)
Joaquin Costa, 55
VALÈNCIA 5
(96) 333-1352

Centro de Yoga de Vigo
Progreso 22-3, VIGO
(89) 227-7321

ÉTATS-UNIS
Sivananda Yoga Vedanta Center
243 West 24 Street,
NEW YORK, NY 10011
(212) 255-4560

Sivananda Yoga Vedanta Center
1929 19 Street NW,
WASHINGTON, DC 20009
(202) 667-9642

Sivananda Yoga Vedanta Center
739 N.W. 2nd Avenue,
FORT LAUDERDALE, Fla 33301
(315) 467-7632

Sivananda Yoga Vedanta Center
1246 West Bryn Mawr,
CHICAGO, ILL 60660
(312) 878-2468

Sivananda Yoga Acres
Rt 4, Box 112
FORT PIERCE, Fla 33450
(305) 465-9976

International Sivananda Yoga Community
8157 Sunset Blvd, LOS ANGELES
Ca 90046
(213) 650-9452

Sivananda Yoga Vedanta Center (affilié)
716 Halstead Rd,
WILMINGTON Del 19803
(302) 478-9277

FRANCE
Centre Sivananda de Yoga Vedanta
123, boulevard Sébastopol
PARIS 75002
(1) 261-7749

INDE
Sivananda Yoga Vedanta Center
A. Gauri Sankar
Lakshmi Nivas, College Road
PALGHAT, Kerala

ISRAËL
Sivananda Yoga Vedanta Center
11 Ein Hakareh, TEL AVIV
371-949

SUISSE
Centre de Yoga Sivananda
1 rue des Minoteries, GENÈVE
(22) 28-03-28

URUGUAY
Association de Yoga Sivananda
Acevedo Diaz 1525, n° 1
MONTEVIDEO
50-25-17

Remerciements des auteurs

« Ton droit est seulement de travailler ;
mais de n'en récolter jamais les fruits ;
ne sois pas motivé par le fruit de
l'action, mais n'en sois pas pour autant
inactif. » *(Bhagavad Gita.)*

Nous aimerions remercier :
Lucy, qui a su faire germer une idée,
et, par sa sensibilité, rendre les mots
magiques.
Fasuto, qui, par son sens artistique, a
su recréer l'ambiance d'un asana en
couleurs et la graver sur film.
Joss, Chris, Ros, Tony et Dave, qui par
leur patience et habileté, ont aidé à
répandre l'idée.
Hari Markman, qui a gentiment
partagé son asanajai.
Mahadev, pour sa générosité.
Hamsa Patel, Surya Joplin-Waters et
Ben Chissick, pour avoir communiqué
leur sagesse de l'âge.
Sujata Mintz, notre Mère Divine.
Tous les autres aspirants de Hatha
Yoga : Barbara, Parameshwari,
Parvati, Chandra, Prem, Cye, Nataraj,
Omkar, Danny, Amari, Demian, Zoe et
Scott.
Sandra Simmons, pour sa gentillesse.
Surya Kumari, pour avoir fait part de
ses connaissances.
Harod Elvin, pour ses conseils.
Swami Padmapadananda, Gauri
Shankar, Omkar Mintz et Mark Le
Fanu, pour leur compétence.
Dr J.T. Vyas MS, F.I.C.S., Dr H. Kulmar
M.R.C.P. et P. Bardaji M.B., N.D.D.O.,
pour leur conseil médical.
Rose, Esther, Bernie et Fred, pour leur
patience.
Kanti Devi et Yashoda, qui ont apporté
l'amour là et quand il était le plus
nécessaire.
Max, Giorgio, Armando et Sivadas, et
les innombrables Karma Yogis qui par
leur générosité ont aidé à vous
apporter cette idée.

OM TAT SAT

Remerciements de l'éditeur

Gaia aimerait remercier tout
particulièrement : Swami Vishnu
Devananda pour son aide et soutien ;
Lucy, Fausto, Narayani, Giris, Hari, et
les membres administratifs de
l'organisation de Yoga Sivananda qui
ónt rendu possible la réalisation du
livre ; les illustrateurs pour leur habileté
dans une tâche difficile : Michael
Burman ; Peter Carroll ; Raj Patel ; et
les organismes suivants : E. Gandolfi
Ltd, 150 Marylebone High Street,
Londres W.1 pour les justaucorps et
collants ; Yoga for Health Foundation,
Ickwell Bury, Biggleswade, Beds, pour
les tapis de yoga ; Barker's de
Kensington ; et Pot Pourri.

Illustrateurs
Lindsay Blow
Felicity Dholm
Elaine Keenan
Tony Kerins
Tony Lodge
Gary Marsh
Sheilagh Noble
Rodney Shackle
David Whelan

Illustration
Sheilagh Noble
Rodney Shackle

Composition
SCCM Paris

Reproduction
F.E. Burman Ltd., Londres

Illustrations
British Museum : Yogi pratiquant
nyasa, p. 68.
Cliché Musées Nationaux : Yogi avec
disciple, p. 176. (photo Documentation
photographique de la Réunion des
musées nationaux.
Mary Evans Picture Library : le Yogi et
le Paon, p. 17.
A.F. Kersting (photo) : Roue du temple
de Surya, Konarak, Orissa, p. 18.
Ajit Mookerjee : Statuette d'un yogi,
p. 13 (photo Oriental Museum,
Durham).
Ajit Mookerjee : corps subtil du yogi,
p. 81 (photo Thames et Hudson).
Musée Guimet : Buddha en jeûne,
p. 87 (photo Giraudon).
Harry Oldfield : photographie Kirlian,
p. 12.
Anne & Bury Peerless (photo) : Siva
comme Mahayogi, p. 14, Buddha
illuminé, p. 87.
Sivananda Yoga Life (photo) : Sri
Swami Sivananda, p. 20.
Victoria & Albert Museum : le Sage et
le Roi, p. 15 (photo Michael Holford).